D1458562

Bilingual

VISUAL

dictionary

Bilingual

VISUAL

dictionary

A DORLING KINDERSLEY BOOK

London, New York, Melbourne, Munich, Delhi

Senior Editor Angeles Gavira
Senior Art Editor Ina Stradins
DTP Designers Sunil Sharma, Balwant Singh,
Harish Aggarwal, John Goldsmid, Ashwani Tyagi
DTP Coordinator Pankaj Sharma
Production Controller Liz Cherry
Picture Researcher Anna Grapes
Managing Editor Liz Wheeler
Managing Art Editor Phil Ormerod
Category Publisher Jonathan Metcalf

Designed for Dorling Kindersley by WaltonCreative.com
Art Editor Colin Walton, assisted by Tracy Musson
Designers Peter Radcliffe, Earl Neish, Ann Cannings
Picture Research Marissa Keating

Language content for Dorling Kindersley by
g-and-w PUBLISHING
Managed by Jane Wightwick, assisted by Ana Bremón
Translation and editing by Marc Vitale
Additional input by Dr. Arturo Pretel, Martin Prill,
Frédéric Monteil, Meinrad Prill, Mari Bremón,
Oscar Bremón, Anunchi Bremón, Leila Gaafar

First published in Great Britain in 2005
by Dorling Kindersley Limited,
80 Strand, London WC2R 0RL
Copyright © 2005 Dorling Kindersley Limited
A Penguin Company

Content first published as
5 Language Visual Dictionary in 2003
Copyright © 2005 Dorling Kindersley Limited, London

ISBN 1 4053 1105 3

Colour reproduction by Colourscan, Singapore
Printed in China

See our complete catalogue at

www.dk.com

sommario
contents

42

la salute
health

146

mangiare fuori
eating out

252

il tempo libero
leisure

informazioni sul
dizionario
about the dictionary

come usare questo
libro
how to use this book

le persone
people

l'aspetto
appearance

la casa
home

i servizi
services

gli acquisti
shopping

il cibo
food

lo studio
study

il lavoro
work

i trasporti
transport

gli sport
sports

l'ambiente
environment

i dati
reference

indice
index

ringraziamenti
acknowledgments

SOMMARIO • CONTENTS

mangiare fuori •
eating out

lo studio • study

il lavoro • work

i trasporti •
transport

lo sport • sport

il tempo libero •
leisure

l'ambiente •
environment

i dati • reference

informazioni sul dizionario

about the dictionary

È dimostrato che l'uso di immagini aiuti a capire e memorizzare le informazioni. Applicando tale principio, abbiamo realizzato questo dizionario bilingue, corredato da numerosissime illustrazioni, che presenta un ampio ventaglio di vocaboli utili in due lingue europee.

Il dizionario è diviso in vari argomenti ed esamina dettagliatamente molti aspetti del mondo moderno, dal ristorante alla palestra, dalla casa all'ufficio, dallo spazio al regno animale. L'opera contiene inoltre frasi e vocaboli utili per conversare e per estendere il proprio vocabolario.

È un'opera di consultazione essenziale per tutti gli appassionati delle lingue – pratica, stimolante e facile da usare.

The use of pictures is proven to aid understanding and the retention of information. Working on this principle, this highly-illustrated bilingual dictionary presents a large range of useful current vocabulary in two European languages.

The dictionary is divided thematically and covers most aspects of the everyday world in detail, from the restaurant to the gym, the home to the workplace, outer space to the animal kingdom. You will also find additional words and phrases for conversational use and for extending your vocabulary.

This is an essential reference tool for anyone interested in languages – practical, stimulating, and easy-to-use.

Indicazioni

Le due lingue vengono presentate sempre nello stesso ordine: italiano e inglese.

In italiano, i sostantivi vengono riportati con il relativo articolo determinativo, che indica il genere (maschile o femminile) e il numero (singolare o plurale), come ad esempio:

A few things to note

The two languages are always presented in the same order – Italian and English.

In Italian, nouns are given with their definite articles reflecting the gender (masculine or feminine) and number (singular or plural), for example:

il seme   **le mandorle**
seed   almonds

il seme   **le mandorle**
seed   almonds

I verbi sono contraddistinti da una (v) dopo il vocabolo inglese, come ad esempio:

nuotare • swim (v)

Verbs are indicated by a (v) after the English, for example:

nuotare • swim (v)

Alla fine del libro ogni lingua ha inoltre il proprio indice, che consente di cercare un vocabolo in una delle due lingue e di trovare il rimando alla pagina che gli corrisponde. Il genere è indicato dalle seguenti abbreviazioni:

m = maschile
f = femminile

Each language also has its own index at the back of the book. Here you can look up a word in either of the two languages and be referred to the page number(s) where it appears. The gender is shown using the following abbreviations:

m = masculine
f = feminine

come usare questo libro

Che stiate imparando una lingua nuova a scopo di lavoro, per diletto o in preparazione per una vacanza all'estero, o desideriate estendere il vostro vocabolario in una lingua che vi è già familiare, questo dizionario è uno strumento di apprendimento prezioso che potete usare in vari modi diversi.

Quando imparate una lingua nuova, cercate le parole affini per origine (che sono quindi simili nelle varie lingue) ma occhio alle false analogie (vocaboli che sembrano uguali ma hanno significati molto diversi). Questo dizionario mostra inoltre come le lingue hanno influito l'una sull'altra. L'inglese, per esempio, ha importato dalle altre lingue europee molti vocaboli relativi agli alimenti ma ne ha esportati molti altri relativi alla tecnologia e alla cultura popolare.

Attività pratiche di apprendimento

• Girando per casa, in ufficio, a scuola, guardate le pagine relative all'ambiente in cui vi trovate, poi chiudete il libro, guardatevi attorno e cercate di ricordare il nome del maggior numero possibile di oggetti e strutture.
• Provate a scrivere un racconto, una lettera o un dialogo usando il maggior numero possibile dei vocaboli riportati su di una pagina in particolare. Vi aiuterà a memorizzare i vocaboli e a ricordare come si scrivono. Se volete scrivere testi più lunghi, cominciate con delle frasi che comprendano 2 o 3 delle parole.
• Se avete una memoria molto visiva, prendete un foglio di carta e disegnatevi o ricopiatevi le immagini che appaiono nel libro, quindi chiudete il libro e scrivete le parole sotto alle immagini.
• Quando vi sentite più sicuri, scegliete dei vocaboli dall'indice di una lingua straniera e cercate di ricordarne i significati, trovando poi le pagine corrispondenti per verificare che siano giusti.

how to use this book

Whether you are learning a new language for business, pleasure, or in preparation for a holiday abroad, or are hoping to extend your vocabulary in an already familiar language, this dictionary is a valuable learning tool which you can use in a number of different ways.

When learning a new language, look out for cognates (words that are alike in different languages) and false friends (words that look alike but carry significantly different meanings). You can also see where the languages have influenced each other. For example, English has imported many terms for food from other European languages but, in turn, exported terms used in technology and popular culture.

Practical learning activities

• As you move about your home, workplace, or college, try looking at the pages which cover that setting. You could then close the book, look around you and see how many of the objects and features you can name.
• Challenge yourself to write a story, letter, or dialogue using as many of the terms on a particular page as possible. This will help you retain the vocabulary and remember the spelling. If you want to build up to writing a longer text, start with sentences incorporating 2–3 words.
• If you have a very visual memory, try drawing or tracing items from the book onto a piece of paper, then close the book and fill in the words below the picture.
• Once you are more confident, pick out words in a foreign-language index and see if you know what they mean before turning to the relevant page to check if you were right.

le persone
people

il corpo • body

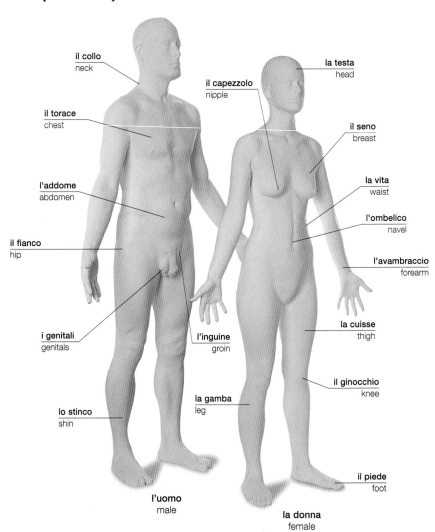

il collo
neck

il capezzolo
nipple

la testa
head

il torace
chest

il seno
breast

l'addome
abdomen

la vita
waist

l'ombelico
navel

il fianco
hip

l'avambraccio
forearm

i genitali
genitals

l'inguine
groin

la cuisse
thigh

il ginocchio
knee

lo stinco
shin

la gamba
leg

il piede
foot

l'uomo
male

la donna
female

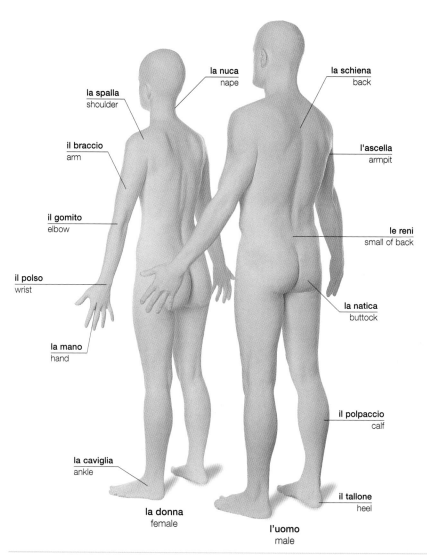

la nuca
nape

la schiena
back

la spalla
shoulder

il braccio
arm

l'ascella
armpit

il gomito
elbow

le reni
small of back

il polso
wrist

la natica
buttock

la mano
hand

il polpaccio
calf

la caviglia
ankle

il tallone
heel

la donna
female

l'uomo
male

la faccia • face

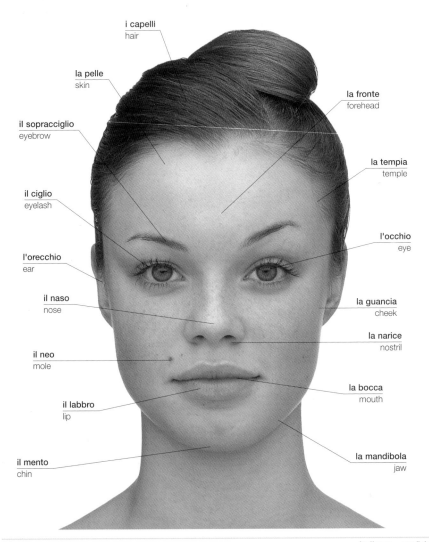

i capelli
hair

la pelle
skin

la fronte
forehead

il sopracciglio
eyebrow

la tempia
temple

il ciglio
eyelash

l'occhio
eye

l'orecchio
ear

il naso
nose

la guancia
cheek

la narice
nostril

il neo
mole

la bocca
mouth

il labbro
lip

il mento
chin

la mandibola
jaw

la ruga
wrinkle

la lentiggine
freckle

il poro
pore

la fossetta
dimple

la mano • hand

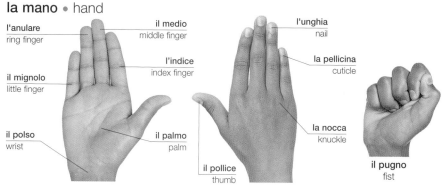

l'anulare
ring finger

il medio
middle finger

l'unghia
nail

l'indice
index finger

la pellicina
cuticle

il mignolo
little finger

il polso
wrist

il palmo
palm

la nocca
knuckle

il pollice
thumb

il pugno
fist

il piede • foot

l'alluce
big toe

l'unghia del piede
toenail

l'avampiede
ball

il dito del piede
toe

il mignolo del piede
little toe

il tallone
heel

il dorso del piede
bridge

la pianta del piede
sole

la caviglia
ankle

il collo del piede
instep

l'arco plantare
arch

italiano • english

15

i muscoli • muscles

il frontale
frontal

il pettorale
pectoral

il deltoide
deltoid

il trapezio
trapezius

il dorsale
latissimus dorsi

l'intercostale
intercostal

il bicipite
biceps

il tricipite
triceps

gli addominali
abdominals

la natica
buttock

il tendine
hamstring

il quadricipite
quadriceps

il tendine
di achille
Achilles tendon

il polpaccio
calf

lo scheletro • skeleton

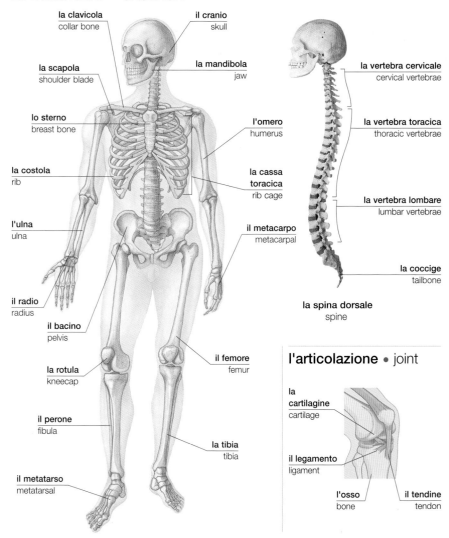

la clavicola
collar bone

il cranio
skull

la scapola
shoulder blade

la mandibola
jaw

lo sterno
breast bone

l'omero
humerus

la costola
rib

la cassa
toracica
rib cage

l'ulna
ulna

il metacarpo
metacarpal

il radio
radius

il bacino
pelvis

la rotula
kneecap

il femore
femur

il perone
fibula

la tibia
tibia

il metatarso
metatarsal

la vertebra cervicale
cervical vertebrae

la vertebra toracica
thoracic vertebrae

la vertebra lombare
lumbar vertebrae

la coccige
tailbone

la spina dorsale
spine

l'articolazione • joint

la
cartilagine
cartilage

il legamento
ligament

l'osso
bone

il tendine
tendon

gli organi interni • internal organs

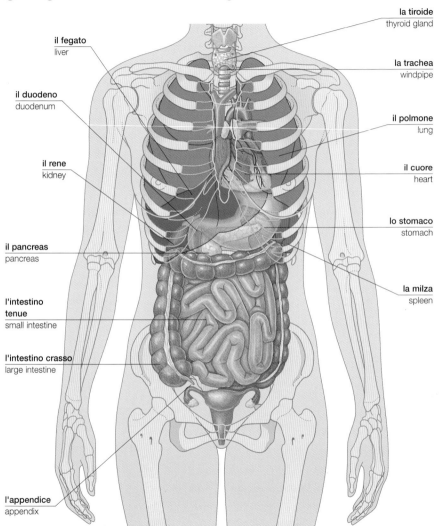

la tiroide
thyroid gland

il fegato
liver

la trachea
windpipe

il duodeno
duodenum

il polmone
lung

il rene
kidney

il cuore
heart

lo stomaco
stomach

il pancreas
pancreas

la milza
spleen

l'intestino
tenue
small intestine

l'intestino crasso
large intestine

l'appendice
appendix

la testa • head

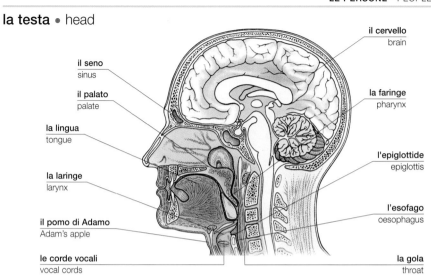

il seno
sinus

il palato
palate

la lingua
tongue

la laringe
larynx

il pomo di Adamo
Adam's apple

le corde vocali
vocal cords

il cervello
brain

la faringe
pharynx

l'epiglottide
epiglottis

l'esofago
oesophagus

la gola
throat

i sistemi corporali • body systems

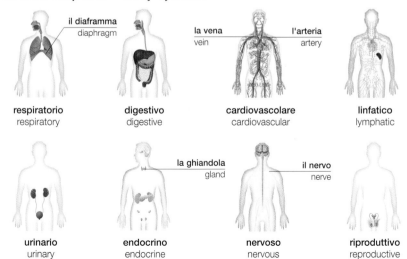

il diaframma
diaphragm

respiratorio
respiratory

digestivo
digestive

la vena
vein

l'arteria
artery

cardiovascolare
cardiovascular

linfatico
lymphatic

la ghiandola
gland

il nervo
nerve

urinario
urinary

endocrino
endocrine

nervoso
nervous

riproduttivo
reproductive

gli organi riproduttivi • reproductive organs

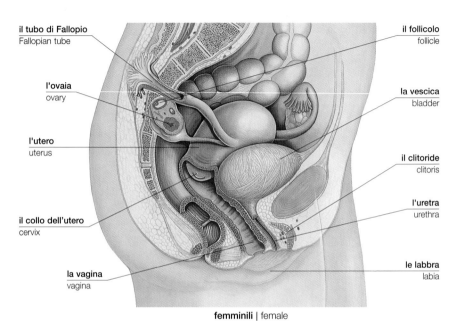

il tubo di Fallopio Fallopian tube	il follicolo follicle
l'ovaia ovary	la vescica bladder
l'utero uterus	il clitoride clitoris
	l'uretra urethra
il collo dell'utero cervix	le labbra labia
la vagina vagina	

femminili | female

la riproduzione • reproduction

lo sperma
sperm

l'ovulo
egg

la fertilizzazione | fertilization

vocabolario • vocabulary

l'ormone hormone	**impotente** impotent	**la mestruazione** menstruation
l'ovulazione ovulation	**fecondo** fertile	**il coito** intercourse
sterile infertile	**concepire** conceive	**la malattia trasmissibile** **per via sessuale** sexually transmitted disease

italiano • english

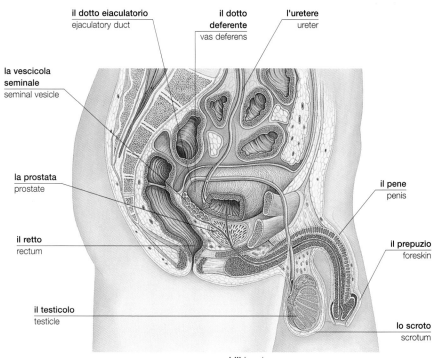

il dotto eiaculatorio
ejaculatory duct

il dotto deferente
vas deferens

l'uretere
ureter

la vescicola seminale
seminal vesicle

la prostata
prostate

il retto
rectum

il testicolo
testicle

il pene
penis

il prepuzio
foreskin

lo scroto
scrotum

maschili | male

la contraccezione • contraception

il cappuccio cervicale
cap

il diaframma
diaphragm

il preservativo
condom

il dispositivo intrauterino
IUD

la pillola
pill

la famiglia • family

la nonna
grandmother

il nonno
grandfather

lo zio
uncle

la zia
aunt

il padre
father

la madre
mother

il cugino
cousin

il fratello
brother

la sorella
sister

la moglie
wife

la nuora
daughter-in-law

il figlio
son

la figlia
daughter

il genero
son-in-law

il nipote
grandson

la nipote
granddaughter

il marito
husband

vocabolario • vocabulary

i parenti relatives	**i genitori** parents	**i nipoti** grandchildren	**la matrigna** stepmother	**il figliastro** stepson	**la generazione** generation
i nonni grandparents	**i bambini** children	**il patrigno** stepfather	**la figliastra** stepdaughter	**il/la compagno/-a** partner	**i gemelli** twins

la suocera mother-in-law   **il suocero** father-in-law

le fasi • stages

il bimbo baby   **il bambino** child

il cognato brother-in-law   **la cognata** sister-in-law

il ragazzo boy   **la ragazza** girl

la nipote niece   **il nipote** nephew

l'adolescente teenager   **l'adulto** adult

gli appellativi • titles

Signora Mrs
Signore Mr
Signorina Miss

l'uomo man   **la donna** woman

i rapporti • relationships

il capo
manager

l'assistente
assistant

il partner di affari
business partner

il datore di lavoro
employer

l'impiegato
employee

il collega
colleague

l'ufficio | office

il vicino
neighbour

l'amico
friend

il conoscente
acquaintance

l'amico di penna
penfriend

il ragazzo
boyfriend

la ragazza
girlfriend

il fidanzato
fiancé

la fidanzata
fiancée

la coppia | couple

i fidanzati | engaged couple

le emozioni • emotions

il sorriso
smile

felice
happy

triste
sad

eccitato
excited

annoiato
bored

sorpreso
surprised

spaventato
scared

aggrottare
le ciglia
frown

arrabbiato
angry

confuso
confused

preoccupato
worried

nervoso
nervous

fiero
proud

fiducioso
confident

imbarazzato
embarrassed

timido
shy

vocabolario • vocabulary

sbadigliare yawn (v)	**ridere** laugh (v)	**sospirare** sigh (v)	**turbato** upset
gridare shout (v)	**svenire** faint (v)	**piangere** cry (v)	**scandalizzato** shocked

gli avvenimenti della vita • life events

nascere
be born (v)

iniziare la scuola
start school (v)

fare amicizia
make friends (v)

laurearsi
graduate (v)

trovare un lavoro
get a job (v)

innamorarsi
fall in love (v)

sposarsi
get married (v)

avere un bambino
have a baby (v)

il matrimonio | wedding

il divorzio
divorce

il funerale
funeral

vocabolario • vocabulary

il battesimo christening	**morire** die (v)
il bar mitzvah bar mitzvah	**fare testamento** make a will (v)
l'anniverario anniversary	**il ricevimento nuziale** wedding reception
emigrare emigrate (v)	**il viaggio di nozze** honeymoon
andare in pensione retire (v)	**il certificato di nascita** birth certificate

le celebrazioni • celebrations

la festa di
compleanno
birthday party

la cartolina
card

il regalo
present

il compleanno
birthday

il Natale
Christmas

le feste •
festivals

la Pasqua ebraica
Passover

il Capodanno
New Year

il carnevale
carnival

la
processione
procession

il Ramadan
Ramadan

il nastro
ribbon

il giorno del ringraziamento
Thanksgiving

la Pasqua
Easter

la vigilia d'Ognissanti
Halloween

il Diwali
Diwali

l'aspetto
appearance

gli abiti da bambino • children's clothing

il bimbo • baby

la tutina da neve
snowsuit

a canottiera
vest

il bottone automatico
popper

la tutina
babygro

il pigiamino
sleepsuit

la tutina senza maniche
romper suit

il bavaglino
bib

i guanti
mittens

le scarpette
booties

il pannolino di spugna
terry nappy

il pannolino usa e getta
disposable nappy

le mutande di plastica
plastic pants

il bambino piccolo • toddler

la maglietta
t-shirt

la salopette
dungarees

il cappello per il sole
sunhat

il grembiulino
apron

i pantaloncini
shorts

la gonna
skirt

il bambino • child

il vestito
dress

lo zaino
backpack

la sciarpa
scarf

i jeans
jeans

l'olivetta
toggle

il cappuccio
hood

l'eskimo
anorak

i sandali
sandals

le galosce
wellington
boots

l'estate
summer

l'impermeabile
raincoat

l'autunno
autumn

il montgomery
duffel coat

l'inverno
winter

la vestaglia
dressing gown

il distintivo
logo

le scarpe da
ginnastica
trainers

la tenuta da calcio
football strip

la tuta
tracksuit

il pantacollant
leggings

la camicia da notte
nightie

le pantofole
slippers

gli indumenti per la notte
nightwear

vocabolario • vocabulary

la fibra naturale
natural fibre

È lavabile in lavatrice?
Is it machine washable?

sintetico
synthetic

È la taglia giusta per un bambino di due anni?
Will this fit a two-year-old?

l'abbigliamento da uomo • men's clothing

il colletto
collar

la cravatta
tie

la cintura
belt

il risvolto
lapel

l'asola
buttonhole

il polsino
cuff

la giacca
jacket

il bottone
button

la tasca
pocket

i pantaloni
trousers

l'abito
business suit

il cappotto
coat

la fodera
lining

le scarpe di cuoio
leather shoes

---

vocabolario • vocabulary

la camicia shirt	**la tuta da sport** tracksuit	**la vestaglia** dressing gown	**lungo** long
il cardigan cardigan	**la biancheria intima** underwear	**l'impermeabile** raincoat	**corto** short

Ha una taglia più grande/più piccola?
Do you have this in a larger/smaller size?

Posso provarmelo?
May I try this on?

il blazer
blazer

la giacca sportiva
sports jacket

il gilet
waistcoat

il collo a V
v-neck

il girocollo
round neck

la maglietta
t-shirt

il giaccone
anorak

la felpa
sweatshirt

la giacca a vento
windcheater

i pantaloni di felpa
sweatpants

il maglione
sweater

il pigiama
pyjamas

la canottiera
vest

il casual
casual wear

i calzoncini
shorts

lo slip
briefs

i boxer
boxer shorts

i calzini
socks

l'abbigliamento da donna • women's clothing

la scollatura
neckline

senza spalline
strapless

la giacca
jacket

la cucitura
seam

senza maniche
sleeveless

la manica
sleeve

alla caviglia
ankle length

l'abito da sera
evening dress

il vestito
dress

la gonna
skirt

la camicetta
blouse

l'orlo
hem

al ginocchio
knee-length

i pantaloni
trousers

il collant
tights

le scarpe
shoes

casual
casual

la biancheria intima • lingerie

il négligé
negligée

la sottoveste
slip

la spallina
strap

il corpetto
camisole

il
reggicalze
suspenders

la guêpière
basque

le calze
stockings

il collant
tights

la canottiera
vest

il reggiseno
bra

lo slip
knickers

**la camicia
da notte**
nightdress

il matrimonio • wedding

il velo
veil

il pizzo
lace

il bouquet
bouquet

lo
strascico
train

l'abito da sposa
wedding dress

vocabolario • vocabulary

il busto
corset

la spallina
shoulder pad

la giarrettiera
garter

attillato
tailored

**allacciato
dietro il collo**
halter neck

**il reggiseno
sportivo**
sports bra

il girovita
waistband

con armatura
underwired

gli accessori • accessories

la fibbia buckle

il manico handle

la punta tip

il berretto cap

il cappello hat

il foulard scarf

la cinta belt

il fazzoletto handkerchief

la farfalla bow tie

il fermacravatta tie-pin

i guanti gloves

l'ombrello umbrella

i gioielli • jewellery

il filo di perle string of pearls

il pendaglio pendant

la spilla brooch

il gemello cufflink

la maglia link

il fermaglio clasp

l'orecchino earring

l'anello ring

la pietra stone

la collana necklace

il bracciale bracelet

la catena chain

l'orologio da polso watch

il cofanetto portagioie | jewellery box

le borse • bags

il portafoglio
wallet

il portamonete
purse

la borsa a tracolla
shoulder bag

la cinghia
fastening

i manici
handles

la bretella
shoulder strap

la sacca da viaggio
holdall

la valigetta
briefcase

la borsetta
handbag

lo zainetto
backpack

le scarpe • shoes

il laccio
lace

la lingua
tongue

l'occhiello
eyelet

la suola
sole

il tacco
heel

la scarpa con i lacci
lace-up

**la scarpa da
trekking**
walking boot

**la scarpa da
ginnastica**
trainer

la scarpa di cuoio
leather shoe

la ciabatta
flip-flop

**la scarpa con il
tacco alto**
high heel shoe

lo zatterone
platform shoe

il sandalo
sandal

il mocassino
slip-on

la scarpa da uomo
brogue

i capelli • hair

il pettine
comb

pettinare
comb (v)

la parrucchiera
hairdresser

il lavandino
sink

la cliente
client

la spazzola
brush

spazzolare | brush (v)

lavare | wash (v)

sciacquare
rinse (v)

il grembiule
robe

tagliare
cut (v)

asciugare con il phon
blow dry (v)

mettere in piega
set (v)

gli accesori • accessories

l'asciugacapelli
hairdryer

lo shampoo
shampoo

il balsamo
conditioner

il gel
gel

la lacca
hairspray

l'arricciacapelli
curling tongs

le forbici
scissors

il cerchietto
hairband

i bigodini
curler

la molletta
hairpin

le acconciature • styles

il nastro
ribbon

la coda di cavallo
ponytail

la treccia
plait

la piega alla francese
french pleat

la crocchia
bun

i codini
pigtails

il caschetto
bob

la sfumatura alta
crop

ricci
curly

la permanente
perm

lisci
straight

le radici
roots

i colpi di sole
highlights

calvo
bald

la parrucca
wig

vocabolario • vocabulary	
l'elastico hairtie	**grassi** greasy
spuntare trim (v)	**secchi** dry
il barbiere barber	**normali** normal
le doppie punte split ends	**il cuoio capelluto** scalp
la forfora dandruff	**lisciare** straighten (v)

i colori • colours

biondo
blonde

bruno
brunette

castano
auburn

rosso
ginger

nero
black

grigio
grey

bianco
white

tinto
dyed

la bellezza • beauty

la tintura per capelli
hair dye

l'ombretto
eye shadow

il mascara
mascara

la matita
per gli occhi
eyeliner

il fard
blusher

il fondotinta
foundation

il rossetto
lipstick

il trucco • make-up

la matita per le sopracciglia
eyebrow pencil

la spazzolina per
le sopracciglia
eyebrow brush

le pinzette
tweezers

lo smalto per
le labbra
lip gloss

il pennello per
le labbra
lip brush

il marcatore per le labbra
lip liner

il pennello
brush

il correttore
concealer

lo specchio
mirror

la cipria
face powder

il piumino
powder puff

il porta cipria | compact

i trattamenti di bellezza •
beauty treatments

la maschera
di bellezza
face pack

il lettino solare
sunbed

**il trattamento
per il viso**
facial

esfoliare
exfoliate (v)

la ceretta
wax

la pedicure
pedicure

gli articoli da toeletta • toiletries

**il latte
detergente**
cleanser

**la lozione
tonificante**
toner

**la crema
idratante**
moisturizer

**la crema
autoabbronzante**
self-tanning cream

**il
profumo**
perfume

**l'acqua di
colonia**
eau de toilette

la manicure • manicure

l'acetone
nail varnish remover

la limetta
nail file

lo smalto per unghie
nail varnish

**le forbicine
per le unghie**
nail scissors

**il
tagliaunghie**
nail clippers

vocabolario • vocabulary		
chiaro fair	**grasso** oily	**l'abbronzatura** tan
scuro dark	**sensibile** sensitive	**il tatuaggio** tattoo
secco dry	**ipoallergenico** hypoallergenic	**antirughe** anti-wrinkle
la carnagione complexion	**la tonalità** shade	**i batuffoli di ovatta** cotton balls

la salute
health

la malattia • illness

il febbre | fever

il mal di testa
headache

l'emorragia nasale
nosebleed

la tosse
cough

lo starnuto
sneeze

il raffreddore
cold

l'influenza
flu

l'inalatore
inhaler

l'asma
asthma

i crampi
cramps

la nausea
nausea

la varicella
chickenpox

lo sfogo
rash

vocabolario • vocabulary

l'infarto heart attack	**il diabete** diabetes	**l'eczema** eczema	**l'infreddatura** chill	**vomitare** vomit (v)	**la diarrea** diarrhoea
l'apoplessia stroke	**l'allergia** allergy	**l'infezione** infection	**svenire** faint (v)	**l'epilessia** epilepsy	**il morbillo** measles
la pressione del sangue blood pressure	**la febbre da fieno** hayfever	**il virus** virus	**il mal di stomaco** stomach ache	**l'emicrania** migraine	**gli orecchioni** mumps

il medico • doctor
la visita • consultation

il medico
doctor

il negatoscopio
x-ray viewer

la ricetta
prescription

la paziente
patient

il misuratore di altezza
height bar

l'infermiera
nurse

la bilancia
scales

il misuratore di pressione
blood pressure gauge

lo stetoscopio
stethoscope

il manicotto
cuff

vocabolario • vocabulary

l'appuntamento
appointment

l'inoculazione
inoculation

l'ambulatorio
surgery

il termometro
thermometer

la sala d'attesa
waiting room

la visita medica
medical examination

Ho bisogno di vedere un medico.
I need to see a doctor.

Ho un dolore qui.
It hurts here.

la ferita • injury

il collare
neck brace

la fascia
a tracolla
sling

la slogatura | sprain

la frattura
fracture

il colpo di frusta
whiplash

il taglio
cut

la sbucciatura
graze

il livido
bruise

la scheggia
splinter

la scottatura
sunburn

l'ustione
burn

il morso
bite

la puntura
sting

vocabolario • vocabulary

l'incidente
accident

l'emorragia
haemorrhage

la commozione
concussion

Si rimetterà?
Will he/she be all right?

l'emergenza
emergency

la vescica
blister

la ferita alla testa
head injury

Chiami un'ambulanza, per favore.
Please call an ambulance.

la ferita
wound

l'avvelenamento
poisoning

la scossa elettrica
electric shock

Dove le fa male?
Where does it hurt?

il pronto soccorso • first aid

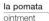

la pomata
ointment

il cerotto
plaster

la spilla da balia
safety pin

la benda
bandage

gli antidolorifici
painkillers

la salvietta antisettica
antiseptic wipe

le pinzette
tweezers

le forbici
scissors

il disinfettante
antiseptic

la cassetta di pronto soccorso | first aid box

la garza
gauze

la bendatura
dressing

la stecca | splint

il nastro adesivo
adhesive tape

la rianimazione
resuscitation

vocabolario • vocabulary

lo shock shock	**sterile** sterile	**soffocare** choke (v)	**Può aiutarmi?** Can you help?
privo di sensi unconscious	**la respirazione** breathing	**le pulsazioni** pulse	**Sa dare pronto soccorso?** Do you know first aid?

l'ospedale • hospital

il chirurgo
surgeon

la scheda del paziente
chart

l'anestetista
anaesthetist

l'infermiera
nurse

la sala operatoria
operating theatre

l'analisi del sangue
blood test

l'iniezione
injection

la radiografia
x-ray

l'ecografia
scan

la lettiga
trolley

il pulsante di chiamata
call button

la sala emergenze
emergency room

il reparto
ward

la sedia a rotelle
wheelchair

---

vocabolario • vocabulary

l'operazione operation	dimesso discharged	l'orario delle visite visiting hours	il reparto maternità maternity ward	il paziente esterno outpatient
ricoverato admitted	la clinica clinic	il reparto pediatrico children's ward	la camera privata private room	il reparto di cura intensiva intensive care unit

i reparti • departments

l'otorinolaringologia
ENT

la cardiologia
cardiology

l'ortopedia
orthopaedy

la ginecologia
gynaecology

la fisioterapia
physiotherapy

la dermatologia
dermatology

la pediatria
paediatrics

la radiologia
radiology

la chirurgia
surgery

la maternità
maternity

la psichiatria
psychiatry

l'oftalmologia
ophthalmology

---

vocabolario • vocabulary

la neurologia neurology	**l'urologia** urology	**l'analisi** test	**la patologia** pathology	**il risultato** result
l'oncologia oncology	**l'endocrinologia** endocrinology	**lo specialista** consultant	**la chirurgia plastica** plastic surgery	**mandare da uno specialista** referral

il dentista • dentist

il dente • tooth

lo smalto
enamel

la gengiva
gum

il nervo
nerve

la radice
root

il premolare
premolar

l'incisivo
incisor

il molare
molar

il canino
canine

il controllo • check-up

la lampada
reflector

la sonda
probe

il bavaglio
apron

la sputacchiera
basin

la poltrona da dentista
dentist's chair

vocabolario • vocabulary

il mal di denti toothache	il trapano drill
la placca plaque	il filo dentale dental floss
la carie decay	l'estrazione extraction
l'otturazione filling	la corona crown

usare il filo dentale
floss (v)

spazzolare
brush

l'apparecchio correttore
brace

la radiografia dentale
dental x-ray

la pellicola radiografica
x-ray film

la dentiera
dentures

l'ottico • optician

la custodia
case

la lente
lens

la montatura
frame

gli occhiali
glasses

gli occhiali da sole
sunglasses

la soluzione per la pulizia
cleaning fluid

la soluzione
disinfettante
disinfectant solution

la custodia
per le lenti
lens case

l'esame della vista | eye test

le lenti a contatto | contact lenses

l'occhio • eye

il sopracciglio
eyebrow

la palpebra
eyelid

la pupilla
pupil

il ciglio
eyelash

l'iride
iris

la retina
retina

la lente
lens

il nervo ottico
optic nerve

la cornea
cornea

vocabolario • vocabulary	
la vista vision	**l'astigmatismo** astigmatism
la diottria diopter	**la presbiopia** long sight
la lacrima tear	**la miopia** short sight
la cataratta cataract	**bifocale** bifocal

la gravidanza • pregnancy

l'infermiera
nurse

il test di gravidanza
pregnancy test

l'ecografia
scan

l'ultrasuono | ultrasound

la placenta
placenta

il cordone
ombelicale
umbilical cord

la cervice
cervix

l'utero
uterus

il feto | foetus

---

vocabolario • vocabulary

l'ovulazione ovulation	prenatale antenatal	il grembo womb	la dilatazione dilation	i punti stitches	podalico breech
la concezione conception	il trimestre trimester	l'amniocentesi amniocentesis	l'epidurale epidural	il parto delivery	prematuro premature
incinta pregnant	l'embrione embryo	la contrazione contraction	l'episiotomia episiotomy	la nascita birth	il ginecologo gynaecologist
in stato interessante expectant	il liquido amniotico amniotic fluid	rompere le acque break waters (v)	il taglio cesareo caesarean section	l'aborto spontaneo miscarriage	l'ostetrico obstetrician

il parto • childbirth

il gocciolatore
drip

l'ostetrica
midwife

il monitor
monitor

il catetere
catheter

il travaglio indotto
induce labour (v)

il forcipe
forceps

la ventosa
ventouse cup

il parto assistito
assisted delivery

la targhetta d'identità
identity tag

il neonato
newborn baby

l'incubatrice | incubator

la bilancia
scales

il peso alla nascita | birth weight

l'allattamento • nursing

la pompa da seno
breast pump

il reggiseno da allattamento
nursing bra

allattare al seno
breastfeed (v)

le coppe
pads

le terapie alternative • alternative therapy

l'allenatore
teacher

il massaggio
massage

lo shiatsu
shiatsu

lo yoga | yoga

il tappetino
mat

la chiropratica
chiropractic

l'osteopatia
osteopathy

la riflessologia
reflexology

la meditazione
meditation

l'assistente socio-
psicologico
counsellor

il reiki
reiki

l'agopuntura
acupuncture

la terapia di gruppo
group therapy

la medicina aiurvedica
ayurveda

l'ipnositerapia
hypnotherapy

l'erbalismo
herbalism

gli oli essenziali
essential oils

l'aromaterapia
aromatherapy

l'omeopatia
homeopathy

l'agopressione
acupressure

la terapista
therapist

la psicoterapia
psychotherapy

vocabolario • vocabulary			
la cristalloterapia crystal healing	**la naturopatia** naturopathy	**il rilassamento** relaxation	**l'erba** herb
l'idroterapia hydrotherapy	**il feng shui** feng shui	**lo stress** stress	**l'integratore** supplement

la casa
home

la casa • house

il tetto
roof

la grondaia
gutter

il camino
chimney

l'abbaino
dormer window

il muro
wall

la tegola
tile

la gronda
eaves

la persiana
shutter

il portico
porch

la finestra
window

l'annesso
extension

il viottolo
path

il portone
front door

vocabolario • vocabulary

unifamiliare detached	**la casa di città** townhouse	**il garage** garage	**il piano** floor	**il seminterrato** basement	**affittare** rent (v)
bifamiliare semidetached	**il villino** bungalow	**l'attico** attic	**il cortile** courtyard	**la stanza** room	**l'affitto** rent
a schiera terraced	**l'allarme antifurto** burglar alarm	**la cassetta per le lettere** letterbox	**la luce del portico** porch light	**il padrone di casa** landlord	**l'inquilino** tenant

l'ingresso • entrance

la ringhiera
hand rail

il pianerottolo
landing

il corrimano
banister

le scale
staircase

l'entrata
hallway

il campanello
doorbell

lo zerbino
doormat

il battente
door knocker

la catenella
door chain

la chiave
key

la serratura
lock

il chiavistello
bolt

l'appartamento • flat

il balcone
balcony

il caseggiato
block of flats

il citofono
intercom

l'ascensore
lift

i sistemi interni • internal systems

il calorifero
radiator

la stufa
heater

la pala
blade

il ventilatore
fan

la stufa a
convezione
convector heater

l'elettricità • electricity

il filamento
filament

l'attacco a baionetta
bayonet fitting

la messa a terra
earthing

il piedino
pin

neutro
neutral

in tensione
live

la lampadina
light bulb

la spina
plug

i fili
wires

---

vocabolario • vocabulary

la tensione voltage	**il fusibile** fuse	**la presa** socket	**il generatore** generator	**il trasformatore** transformer
l'ampere amp	**la valvoliera** fuse box	**l'interruttore** switch	**l'elettricità** power	**l'alimentazione di rete** mains supply
l'interruzione di corrente power cut	**la corrente continua** direct current	**la corrente alternata** alternating current	**il contatore di corrente** electricity meter	

---

italiano • english

l'impianto idraulico • plumbing

l'entrata
inlet

l'uscita
outlet

la valvola
della
pressione
pressure
valve

l'isolamento
insulation

il tubo di
troppopieno
overflow
pipe

il serbatoio
tank

il serbatoio
dell'acqua
water
chamber

il rubinetto
di scarico
drain cock

il termostato
thermostat

il bruciatore a gas
gas burner

l'elemento
riscaldante
heating element

lo scaldaacqua
boiler

l'acquaio • sink

il rubinetto
tap

la leva
lever

la
guarnizione
gasket

il tubo
dell'acqua
supply pipe

il rubinetto
di arresto
shutoff valve

lo scolo
drain

il macinatore di rifiuti
waste disposal unit

il water • water closet

la cassetta
cistern

il galleggiante
float ball

il sedile
seat

il tubo
di scolo
waste pipe

la tazza
bowl

lo smaltimento dei rifiuti • waste disposal

la bottiglia
bottle

il coperchio
lid

il pedale
pedal

il secchio di
riciclaggio
recycling bin

la pattumiera
rubbish bin

l'unità di
smistamento
sorting unit

i rifiuti organici
organic waste

il salotto • living room

il quadro
painting

la cornice
frame

la lampada
lamp

l'applique
wall light

l'orologio
clock

il soffitto
ceiling

l'armadietto
cabinet

il divano
sofa

il cuscino
cushion

il tavolino
coffee table

il pavimento
floor

lo specchio mirror

il vaso vase

la mensola del caminetto mantelpiece

il caminetto fireplace

il parafuoco screen

la candela candle

la tenda curtain

la tendina net curtain

la veneziana venetian blind

l'avvolgibile roller blind

la cornice moulding

la poltrona armchair

la libreria bookshelf

il divano letto sofabed

il tappeto rug

lo studio | study

la sala da pranzo • dining room

il pepe
pepper

il sale
salt

il tavolo
table

i piatti
crockery

le posate
cutlery

la sedia
chair

lo schienale
back

il sedile
seat

la gamba
leg

---

vocabolario • vocabulary

servire serve (v)	**la colazione** breakfast	**il pranzo** lunch	**sazio** full	**affamato** hungry	**Posso averne ancora,** **per favore?** Can I have some more, please?
mangiare eat (v)	**la tovaglia** tablecloth	**la cena** dinner	**il pasto** meal	**l'ospite** guest	**Ne ho avuto abbastanza,** **grazie.** I've had enough, thank you.
apparecchiare lay the table (v)	**la tovaglia** **individuale** place mat	**la** **porzione** portion	**il** **padrone** **di casa** host	**la padrona** **di casa** hostess	**Era squisito.** That was delicious.

---

le stoviglie e le posate • crockery and cutlery

la tazza
mug

la tazzina da caffé
coffee cup

la tazza da té
teacup

il cucchiaino
teaspoon

il piatto
plate

la ciotola
bowl

la caffettiera
cafetière

la teiera
teapot

la brocca
jug

il portauovo
egg cup

il calice da vino
wine glass

il bicchiere
tumbler

la cristalleria
glassware

il portatovagliolo
napkin ring

il piattino
side plate

il piatto
piano
dinner plate

la scodella
soup bowl

il cucchiaio da
minestra
soup spoon

il tovagliolo
napkin

la forchetta
fork

il coperto
place setting

il cucchiaio
spoon

il coltello
knife

la cucina • kitchen

la cappa
extractor

le mensole
shelves

il pannello
di protezione
splashback

il fornello
di ceramica
ceramic hob

il rubinetto
tap

il lavandino
sink

il piano
di lavoro
worktop

il forno
oven

il cassetto
drawer

l'armadietto
cabinet

gli elettrodomestici • appliances

il recipiente
mixing bowl

il coperchio
lid

la lama
blade

il forno a microonde
microwave oven

il bollitore
kettle

il tostapane
toaster

il miscelatore
food processor

il frullatore
blender

la lavastoviglie
dishwasher

il frigorifero
refrigerator

il fabbrica-ghiaccio
ice maker

il congelatore
freezer

la mensola
shelf

il cassetto per la verdura
crisper

il frigocongelatore | fridge-freezer

vocabolario • vocabulary

la piastra
hob

il gocciolatoio
draining board

il fornello
burner

la pattumiera
rubbish bin

congelare
freeze (v)

scongelare
defrost (v)

cuocere al vapore
steam (v)

saltare in padella
sauté (v)

cucinare • cooking

sbucciare peel (v)

affettare slice (v)

grattugiare grate (v)

versare pour (v)

mescolare mix (v)

sbattere whisk (v)

bollire boil (v)

friggere fry (v)

spianare roll (v)

rimestare stir (v)

cuocere a fuoco lento simmer (v)

affogare poach (v)

cuocere al forno bake (v)

arrostire roast (v)

cuocere alla griglia grill (v)

gli utensili da cucina • kitchenware

il tagliere
chopping board

il coltello da pane
bread knife

il coltello da cucina
kitchen knife

la mannaia
cleaver

l'affilacoltelli
knife sharpener

il martello
meat tenderizer

lo spiedino
skewer

il pelapatate
peeler

il cavatorsoli
apple corer

la grattugia
grater

il pestello
pestle

il mortaio
mortar

lo schiacciapatate
masher

l'apriscatole
can opener

l'apribottiglie
bottle opener

lo spremiaglio
garlic press

**il cucchiaio
da portata**

la paletta forata
fish slice

lo scolapasta
colander

la spatola
spatula

**il cucchiaio
di legno**
wooden spoon

**il cucchiaio
perforato**
slotted spoon

il mestolo
ladle

il forchettone
carving fork

il cucchiaio dosatore
scoop

la frusta
whisk

il colino
sieve

il coperchio
lid

antiaderente
non-stick

la padella
frying pan

la pentola
saucepan

la padella per grigliare
grill pan

il wok
wok

la casseruola di terracotta
earthenware dish

di vetro
glass

pirofilo
ovenproof

la scodella
mixing bowl

lo stampo per soufflé
soufflé dish

il piatto da gratin
gratin dish

lo stampo
ramekin

la casseruola
casserole dish

la cottura dei dolci • baking cakes

la bilancia
scales

il bricco misuratore
measuring jug

lo stampo per dolci
cake tin

lo stampo per torte
pie tin

lo stampo per flan
flan tin

il pennello da cucina
pastry brush

il mattarello
rolling pin

la tasca da pasticciere
piping bag

la teglia per pasticcini
muffin tray

la placca da forno
baking tray

la gratella
cooling rack

il guanto da forno
oven glove

il grembiule
apron

la camera da letto • bedroom

l'armadio
wardrobe

la lampadina
bedside lamp

la testata
headboard

il comodino
bedside table

il cassettone
chest of drawers

il cassetto	il letto	il materasso	il copriletto	il guanciale
drawer	bed	mattress	bedspread	pillow

la borsa calda
hot-water bottle

la radiosveglia
clock radio

la sveglia
alarm clock

la scatola di
fazzolettini
box of tissues

la gruccia
coat hanger

la biancheria da letto • bed linen

la federa
pillowcase

il lenzuolo
sheet

il volant
valance

lo specchio
mirror

la toeletta
dressing table

la coperta imbottita
duvet

la trapunta
quilt

il pavimento
floor

la coperta
blanket

---

vocabolario • vocabulary

la termocoperta electric blanket	**la molla** spring	**l'insonnia** insomnia	**svegliarsi** wake up (v)	**mettere la sveglia** set the alarm (v)
il letto singolo single bed	**il tappeto** carpet	**andare a letto** go to bed (v)	**alzarsi** get up (v)	**russare** snore (v)
il letto matrimoniale double bed	**la pedana del letto** footboard	**addormentarsi** go to sleep (v)	**fare il letto** make the bed (v)	**l'armadio a muro** built-in wardrobe

---

la stanza da bagno • bathroom

la porta
della doccia
shower door

il rubinetto
dell'acqua fredda
cold tap

il rubinetto
dell'acqua
calda
hot tap

il soffione
della doccia
shower head

il portasciugamani
towel rail

il lavandino
washbasin

il tappo
plug

la doccia
shower

lo scolo
drain

il sedile
toilet seat

il water
toilet

la spazzola
da water
toilet brush

la vasca
bathtub

il bidè | bidet

vocabolario • vocabulary	
la carta igienica toilet roll	lo scendibagno bath mat
l'armadietto dei medicinali medicine cabinet	la tenda da doccia shower curtain
farsi la doccia take a shower (v)	farsi il bagno take a bath (v)

l'igiene dentale • dental hygiene

lo spazzolino da denti
toothbrush

il filo
interdentale
dental floss

il dentifricio
toothpaste

il colluttorio
mouthwash

la luffa
loofah

la spugna
sponge

la pomice
pumice stone

la spazzola
back brush

il deodorante
deodorant

il portasapone
soap dish

la docciaschiuma
shower gel

il sapone
soap

la crema per il viso
face cream

il bagnoschiuma
bubble bath

l'asciugamano
piccolo
hand towel

l'asciugamano
grande
bath towel

gli asciugamani
towels

la lozione per il corpo
body lotion

il talco
talcum powder

l'accappatoio
bathrobe

la rasatura • shaving

il rasoio
elettrico
electric razor

la lametta
razor blade

la schiuma da barba
shaving foam

il rasoio monouso
disposable razor

il dopobarba
aftershave

la camera dei bambini • nursery

l'igiene del neonato • baby care

la spugna
sponge

la pomata
antirossore
nappy rash cream

la salviettina
umidificata
wet wipe

la vaschetta
baby bath

il vasino
potty

il materassino
changing mat

la dormita • sleeping

il mobile
mobile

le sbarre
bars

il lenzuolo
sheet

la coperta
blanket

la felpa
fleece

la biancheria da letto
bedding

il paracolpi
bumper

il materasso
mattress

il lettino | cot

il sonaglio
rattle

il portabebè
moses basket

il gioco • playing

la bambola
doll

il giocattolo di pezza
soft toy

la casa delle bambole
doll's house

la casa da gioco
playhouse

l'orsacchiotto
teddy bear

il giocattolo
toy

il cesto dei giocattoli
toy basket

la palla
ball

il box
playpen

la sicurezza • safety

il fermo di sicurezza
child lock

la trasmittente
baby monitor

lo sbarramento
stair gate

il pasto • eating

il seggiolone
high chair

la tettarella
teat

la tazza
per bere
drinking cup

il biberon
bottle

la passeggiata • going out

il passeggino
pushchair

la capote
hood

la carrozzina
pram

la culla portatile
carrycot

il pannolino
nappy

la borsa dei ricambi
changing bag

il marsupio
baby sling

la lavanderia • utility room

il bucato • laundry

i panni
sporchi
dirty washing

i vestiti puliti
clean clothes

il cesto della
biancheria da lavare
laundry basket

la lavatrice
washing machine

il lavasciuga
washer-dryer

l'asciugabiancheria
tumble dryer

il cesto della
biancheria pulita
linen basket

la corda
per bucato
clothes line

il ferro da stiro
iron

la molletta
clothes peg

asciugare
dry (v)

l'asse da stiro | ironing board

---

vocabolario • vocabulary

caricare load (v)	**centrifugare** spin (v)	**stirare** iron (v)	Come funziona la lavatrice? How do I operate the washing machine?
sciacquare rinse (v)	**la centrifuga** spin dryer	**l'ammorbidente** conditioner	Qual è il programma per i tessuti colorati/bianchi? What is the setting for coloureds/whites?

---

gli accessori per la pulizia • cleaning equipment

il tubo di aspirazione
suction hose

la spazzola
brush

la paletta
dust pan

la varechina
bleach

il secchio
bucket

in polvere
powder

liquido
liquid

lo spolverino
duster

l'aspirapolvere
vacuum cleaner

la scopa di spugna
mop

il detergente
detergent

la cera
polish

le attività • activities

pulire
clean (v)

lavare
wash (v)

asciugare
wipe (v)

fregare
scrub (v)

raschiare
scrape (v)

la scopa
broom

spazzare
sweep (v)

spolverare
dust (v)

lucidare
polish (v)

il laboratorio • workshop

il mandrino
chuck

la punta
drill bit

la batteria
battery pack

la sega da traforo
jigsaw

il trapano ricaricabile
rechargeable drill

il trapano elettrico
electric drill

la pistola per colla
glue gun

il morsetto
clamp

la lama
blade

la morsa
vice

la levigatrice
sander

la sega circolare
circular saw

il banco da lavoro
workbench

la colla da legno
wood glue

la rastrelliera
per gli arnesi
tool rack

la contornitrice
router

il girabacchino
bit brace

i trucioli
wood shavings

la prolunga
extension lead

le tecniche • techniques

tagliare
cut (v)

segare
saw (v)

forare
drill (v)

martellare
hammer (v)

piallare
plane (v)

tornire
turn (v)

la lega per saldatura
solder

incidere
carve (v)

saldare
solder (v)

i materiali • materials

l'MDF
MDF

il compensato
plywood

il truciolato
chipboard

il cartone di
fibra compressa
hardboard

il legno
dolce
softwood

il legno duro
hardwood

il fil di ferro
wire

il cavo
cable

la lacca
varnish

l'acciaio
inossidabile
stainless steel

il mordente
per legno
woodstain

zincato
galvanised

il legno | wood

il metallo | metal

la scatola degli attrezzi • toolbox

la chiave
spanner

la chiave regolabile
adjustable spanner

il martello
hammer

le pinze ad ago
needle-nose pliers

la chiave a tubo
socket wrench

la punte per
cacciavite
screwdriver
bits

la livella
spirit level

il cacciavite
screwdriver

la rondella
washer

il dado
nut

il metro
tape measure

il coltello
knife

le pinze tonde
bull-nose pliers

la bussola
socket

la chiave
key

le punte • drill bits

la punta per metalli
metal bit

la punta piana per legno
flat wood bit

il cacciavite a croce
phillips screwdriver

l'alesatore
reamer

la testa
head

la punta di
sicurezza
security bit

il chiodo
nail

le punte da
falegnameria
carpentry bits

la punta per
muratura
masonry bit

la vite
screw

la pinza spelafilo
wire strippers

la pinza tagliafilo
wire cutters

il saldatoio
soldering iron

il nastro
isolante
insulating
tape

il bisturi
scalpel

la sega da traforo
fretsaw

le lega per
saldatura
solder

la sega per tenoni | tenon saw

gli occhiali
protettivi
safety goggles

la pialla
plane

la cassetta guidalama
per ugnature
mitre block

il seghetto
handsaw

il trapano
manuale
hand drill

la lana d'acciaio
wire wool

il seghetto per metalli
hacksaw

la chiave inglese
wrench

lo scalpello
chisel

la carta vetrata
sandpaper

lo sturalavandini
plunger

la lima
file

l'affilatore
sharpening stone

il tagliatubi | pipe cutter

la decorazione • decorating

le forbici
scissors

il coltello da pacchi
craft knife

il filo a piombo
plumb line

il raschietto
scraper

il decoratore
decorator

la carta da
parati
wallpaper

la scala a pioli
stepladder

la spazzola
wallpaper brush

il tavolo
da lavoro
pasting table

il pennello
da colla
pasting brush

la colla
da parati
wallpaper paste

il secchio
bucket

tappezzare | wallpaper (v)

staccare
strip (v)

otturare
fill (v)

scartavetrare
sand (v)

intonacare | plaster (v)

incollare | hang (v)

piastrellare | tile (v)

il rullo
roller

la vaschetta per la vernice
paint tray

la vernice
paint

il pennello
brush

il barattolo
di vernice
paint tin

la spugna
sponge

il nastro adesivo
coprente
masking tape

la carta
vetrata
sandpaper

la tuta
overalls

la trementina
turpentine

il telo di
protezione
dustsheet

lo stucco
filler

l'acquaragia
white spirit

dipingere
paint (v)

vocabolario • vocabulary

l'intonaco plaster	lucido gloss	la carta a rilievo embossed paper	la mano di fondo undercoat	il sigillante sealant
la vernice trasparente varnish	opaco mat	la carta di fondo lining paper	la mano finale top coat	il solvente solvent
la pittura emulsion	lo stampino stencil	la vernice di base primer	il conservante preservative	la malta grout

il giardino • garden

i tipi di giardino • garden styles

gli ornamenti per giardini •
garden features

il giardino a patio
patio garden

il giardino all'italiana | formal garden

il giardino all'inglese
cottage garden

il giardino di erbe
herb garden

il giardino pensile
roof garden

il giardino di pietra
rock garden

il cortile
courtyard

il giardino acquatico
water garden

il cesto sospeso
hanging basket

il graticcio
trellis

la pergola
pergola

la pavimentazione
paving

il sentiero
path

la concimaia
compost heap

il terreno •
soil

l'aiuola
flowerbed

il cancello
gate

**lo strato
superficiale**
topsoil

la sabbia
sand

il prato
lawn

il capanno
shed

lo stagno
pond

la ghiaia
greenhouse

il gesso
chalk

la siepe
hedge

il recinto
fence

l'arco
arch

l'orto
vegetable
garden

il bordo erbaceo
herbaceous border

il limo
silt

il patio in legno
decking

la fontana | fountain

l'argilla
clay

le piante da giardino • garden plants

i tipi di piante • types of plants

annuale
annual

biennale
biennial

perenne
perennial

il bulbo
bulb

la felce
fern

il giunco
rush

il bambù
bamboo

le erbacce
weeds

l'erba aromatica
herb

la pianta acquatica
water plant

l'albero
tree

a foglie caduche
deciduous

la palma
palm

la conifera
conifer

sempreverde
evergreen

l'arte topiaria
topiary

le piante da roccia
alpine

la pianta grassa
succulent

il cactus
cactus

la pianta da vaso
potted plant

la pianta d'ombra
shade plant

la pianta rampicante
climber

la pianta da fiore
flowering shrub

la pianta copriterreno
ground cover

la pianta rampicante
creeper

ornamentale
ornamental

l'erba
grass

gli attrezzi da giardino • garden tools

il terriccio
compost

i semi
seeds

la farina di ossa
bone meal

la ghiaia
gravel

la scopa di ferro
lawn rake

la vanga
spade

il forcone
fork

le forbici tagliabordi
long-handled shears

il rastrello
rake

la zappa
hoe

il raccoglierba
grass bag

il motore
motor

il manico
handle

il cestello
trug

la protezione
shield

il sostegno
stand

il tagliabordi
trimmer

il tosaerba
lawnmower

la carriola
wheelbarrow

il forcone
hand fork

la cesoia
secateurs

i guanti da giardinaggio
gardening gloves

la paletta
trowel

il fil di ferro
twine

le etichette
labels

la lama
blade

il semenzaio
seed tray

le fettucce
twist ties

gli anelli
ring ties

le canne
canes

le forbici da giardino
shears

il setaccio
sieve

la sega
hand saw

il pesticida
pesticide

il vaso da fiori
plant pot

le galosce
rubber boots

l'annaffiatura • watering

il diffusore
spray gun

l'irrigatore
sprinkler

il becco
nozzle

l'annaffiatoio
watering can

la pompa da giardino
hosepipe

la rosa
rose

l'avvolgitubo | hose reel

il giardinaggio • gardening

il prato
lawn

l'aiuola
flowerbed

il tosaerba
lawnmower

la siepe
hedge

il bastoncino
stake

tagliare l'erba | mow (v)

**ricoprire di
zolle erbose**
turf (v)

inforcare
spike (v)

rastrellare
rake (v)

spuntare
trim (v)

scavare
dig (v)

seminare
sow (v)

**concimare a
spandimento**
top dress (v)

annaffiare
water (v)

la canna
cane

far crescere
train (v)

togliere i fiori appassiti
deadhead (v)

spruzzare
spray (v)

innestare
graft (v)

la talea
cutting

propagare
propagate (v)

potare
prune (v)

legare a un bastoncino
stake (v)

trapiantare
transplant (v)

sradicare le erbacce
weed (v)

concimare
mulch (v)

raccogliere
harvest (v)

---

vocabolario • vocabulary

coltivare cultivate (v)	**architettare** landscape (v)	**concimare** fertilize (v)	**setacciare** sieve (v)	**biologico** organic	**il semenzale** seedling	**il sottosuolo** subsoil
curare tend (v)	**invasare** pot up (v)	**cogliere** pick (v)	**aerare** aerate (v)	**lo scolo** drainage	**il concime** fertilizer	**il diserbante** weedkiller

---

italiano • english

i servizi
services

i servizi di emergenza • emergency services

l'ambulanza • ambulance

la barella
stretcher

l'ambulanza
ambulance

il paramedico
paramedic

la polizia • police

l'uniforme
uniform

la sirena
siren

le luci
lights

il distintivo
badge

l'auto della polizia
police car

la stazione di polizia
police station

il manganello
truncheon

la pistola
gun

le manette
handcuffs

l'agente
police officer

vocabolario • vocabulary

il commissario inspector	il furto burglary	la denuncia complaint	l'arresto arrest
l'investigatore detective	l'aggressione assault	l'indagine investigation	la cella police cell
il reato crime	l'impronta digitale fingerprint	il sospetto suspect	l'accusa charge

i vigili del fuoco • fire brigade

il casco
helmet

il fumo
smoke

l'idrante
hose

la gabbia
cradle

il getto
d'acqua
water jet

i vigili del fuoco
fire fighters

il braccio
boom

la scala
ladder

la cabina
cab

l'incendio | fire

la caserma dei
vigili del fuoco
fire station

la scala di sicurezza
fire escape

l'autopompa
fire engine

l'allarme antifumo
smoke alarm

l'allarme
antincendio
fire alarm

l'ascia
axe

l'estintore
fire extinguisher

l'idrante
hydrant

| Ho bisogno della polizia/dei vigili del fuoco/di un'ambulanza. I need the police/fire brigade/ambulance. | C'è un incendio a… There's a fire at… | C'è stato un incidente. There's been an accident. | Chiamate la polizia! Call the police! |

la banca • bank

il cliente
customer

lo sportello
window

il cassiere
cashier

i dépliants
leaflets

il banco
counter

i moduli di
versamento
paying-in slips

la carta di debito
debit card

la matrice
stub

il numero di
conto
account number

la firma
signature

l'importo
amount

il direttore
bank manager

la carta di credito
credit card

il libretto degli assegni
chequebook

l'assegno
cheque

---

vocabolario • vocabulary

i risparmi savings	**l'ipoteca** mortgage	**il pagamento** payment	**versare** pay in (v)	**il conto corrente** current account
l'imposta tax	**lo scoperto** overdraft	**il prestito** loan	**il pin** pin number	**il conto di risparmio** savings account
l'addebito diretto direct debit	**il tasso d'interesse** interest rate	**il modulo di prelievo** withdrawal slip	**la commissione bancaria** bank charge	**il bonifico bancario** bank transfer

---

italiano • english

la moneta
coin

la banconota
note

il denaro
money

lo schermo
screen

la tastiera
key pad

la fessura per la carta
card slot

la cassa automatica
cash machine

la valuta estera • foreign currency

l'ufficio di cambio
bureau de change

il travel cheque
traveller's cheque

il tasso di cambio
exchange rate

la finanza • finance

la consulente finanziaria
financial advisor

il corso per azione
share price

il broker
stockbroker

la borsa valori | stock exchange

vocabolario • vocabulary

incassare cash (v)	**le azioni** shares
la denominazione denomination	**i dividendi** dividends
la commissione commission	**il contabile** accountant
l'investimento investment	**il portafoglio** portfolio
i titoli stocks	**il capitale netto** equity

Posso cambiare questo?
Can I change this please?

Qual è il tasso di cambio oggi?
What's today's exchange rate?

le comunicazioni • communications

l'impiegato
delle poste
postal worker

lo sportello
window

la bilancia
scales

il banco
counter

l'ufficio postale | post office

il timbro postale
postmark

il francobollo
stamp

l'indirizzo
address

il codice di
avviamento postale
postal code

la busta | envelope

il postino
postman

vocabolario • vocabulary

la lettera letter	**il mittente** return address	**la consegna** delivery	**fragile** fragile	**non piegare** do not bend (v)
posta aerea by airmail	**la firma** signature	**l'affrancatura** postage	**il sacco postale** mailbag	**alto** this way up
la posta **raccomandata** registered post	**la raccolta** collection	**il vaglia postale** postal order	**il telegramma** telegram	**il fax** fax

la buca delle lettere
postbox

la cassetta delle lettere
letterbox

il pacco
parcel

il corriere
courier

il telefono • telephone

il ricevitore
handset

la base
base station

la segreteria
telefonica
answering machine

il telefono senza fili
cordless phone

il videotelefono
video phone

la cabina telefonica
telephone box

la tastiera
keypad

il ricevitore
receiver

le monete non utilizzate
coin return

il telefonino
mobile phone

il telefono a monete
coin phone

il telefono a scheda
card phone

---

vocabolario • vocabulary

comporre dial (v)	**rispondere** answer (v)	**l'operatore** operator	**Può darmi il numero per...?** Can you give me the number for...?
staccato disconnected	**il messaggio vocale** voice message	**occupato** engaged/busy	**Qual è il prefisso per...?** What is the dialling code for...?
la chiamata a carico del destinatario reverse charge call	**il messaggio di testo** text message	**le informazioni telefoniche** directory enquiries	

---

l'albergo • hotel
l'ingresso • lobby

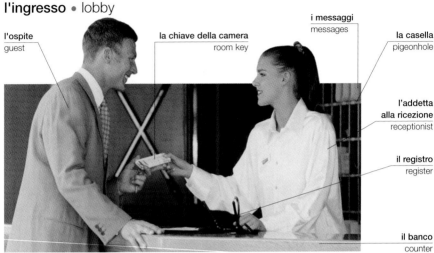

l'ospite
guest

la chiave della camera
room key

i messaggi
messages

la casella
pigeonhole

l'addetta
alla ricezione
receptionist

il registro
register

il banco
counter

la ricezione | reception

il bagaglio
luggage

il carrello
trolley

il facchino
porter

l'ascensore
lift

il numero della camera
room number

le camere • rooms

la camera singola
single room

la camera doppia
double room

la camera a due letti
twin room

il bagno privato
private bathroom

i servizi • services

il vassoio della colazione
breakfast tray

il servizio di pulizia
maid service

**il servizio
di lavanderia**
laundry service

il servizio in camera | room service

il minibar
mini bar

il ristorante
restaurant

la palestra
gym

la piscina
swimming pool

---

vocabolario • vocabulary

la pensione completa
full board

la mezza pensione
half board

la pensione con colazione
bed and breakfast

Avete una camera libera?
Do you have any vacancies?

Ho una prenotazione
I have a reservation.

Vorrei una camera singola
I'd like a single room.

Vorrei una camera per tre notti.
I'd like a room for three nights.

Quanto costa la camera a notte?
What is the charge per night?

Quando devo lasciare la stanza?
When do I have to vacate the room?

---

gli acquisti
shopping

il centro commerciale • shopping centre

l'atrio
atrium

l'insegna
sign

l'ascensore
lift

il secondo
piano
second floor

il primo
piano
first floor

la scala
mobile
escalator

il piano
terra
ground floor

il cliente
customer

vocabolario • vocabulary

il reparto bambini
children's department

il reparto bagagli
luggage department

il reparto calzature
shoe department

il commesso
sales assistant

la guida al negozio
store directory

l'assistenza ai clienti
customer services

i camerini
changing rooms

le toilettes
toilets

la stanza di cambio pannolini
baby changing facilities

Quanto costa questo?
How much is this?

Posso cambiare questo?
May I exchange this?

il grande magazzino • department store

**l'abbigliamento
da uomo**
men's wear

**l'abbigliamento
da donna**
women's wear

la biancheria intima
lingerie

la profumeria
perfumery

la bellezza
beauty

la biancheria
linen

**l'arredamento per
la casa**
home furnishings

la merceria
haberdashery

gli articoli da cucina
kitchenware

la porcellana
china

gli articoli elettronici
electrical goods

l'illuminazione
lighting

gli articoli sportivi
sports

i giocattoli
toys

la cancelleria
stationery

il reparto alimentari
food hall

il supermercato • supermarket

la corsia
aisle

lo scaffale
shelf

il nastro convogliatore
conveyer belt

il cassiere
cashier

le offerte
offers

la cassa | checkout

il cliente
customer

la cassa
till

la busta della spesa
shopping bag

la spesa
groceries

il manico
handle

780863 185779

il codice a barre
bar code

il carrello
trolley

il cestino
basket

il lettore ottico
scanner

la panetteria
bakery

i latticini
dairy

i cereali da colazione
breakfast cereals

lo scatolame
tinned food

i dolci
confectionery

le verdure
vegetables

la frutta
fruit

la carne e il pollame
meat and poultry

il pesce
fish

la salumeria
deli

i surgelati
frozen food

i cibi cotti
convenience food

le bibite
drinks

i casalinghi
household products

i prodotti per il bagno
toiletries

i prodotti per bambini
baby products

gli elettrodomestici
electrical goods

il cibo per animali
pet food

le riviste | magazines

la farmacia • chemist

i prodotti
per i denti
dental care

l'igiene
femminile
feminine
hygiene

i deodoranti
deodorants

le vitamine
vitamins

il dispensario
dispensary

il farmacista
pharmacist

la medicina
per la tosse
cough medicine

i rimedi alle erbe
herbal remedies

i prodotti per la pelle
skin care

il doposole
aftersun

la crema schermo
sunscreen

la crema
schermo totale
sunblock

l'insettifugo
insect repellent

la salviettina umidificata
wet wipe

il fazzolettino
tissue

l'assorbente
sanitary towel

il tampone
tampon

il salvaslip
panty liner

il cucchiaio misuratore
measuring spoon

le istruzioni
instructions

la pasticca
capsule

la pillola
pill

lo sciroppo
syrup

l'inalatore
inhaler

la crema
cream

l'unguento
ointment

il gel
gel

la supposta
suppository

il contagocce
dropper

l'ago
needle

le gocce
drops

la siringa
syringe

lo spray
spray

la polvere
powder

vocabolario • vocabulary

il ferro iron	**la multivitamina** multivitamins	**monouso** disposable	**la medicina** medicine	**l'antidolorifico** painkiller
il calcio calcium	**gli effetti collaterali** side-effects	**solubile** soluble	**il lassativo** laxative	**il sedativo** sedative
il magnesio magnesium	**la data di scadenza** expiry date	**il dosaggio** dosage	**la diarrea** diarrhoea	**il sonnifero** sleeping pill
l'insulina insulin	**le pasticche antinausea** travel sickness pills	**il medicamento** medication	**la pasticca per la gola** throat lozenge	**l'antinfiammatorio** anti-inflammatory

il fioraio • florist

i fiori
flowers

il gladiolo
gladiolus

il giglio
lily

l'iris
iris

l'acacia
acacia

la margherita
daisy

il crisantemo
chrysanthemum

il garofano
carnation

la gipsofila
gypsophila

la pianta
da vaso
pot plant

la violacciocca
stocks

la gerbera
gerbera

il fogliame
foliage

la rosa
rose

la fresia
freesia

il vaso
vase

l'orchidea
orchid

la peonia
peony

il mazzetto
bunch

lo stelo
stem

il narciso
daffodil

il bocciolo
bud

l'incarto
wrapping

il tulipano | tulip

gli arrangiamenti • arrangements

il nastro
ribbon

il mazzo di fiori
bouquet

i fiori secchi
dried flowers

il pot-pourri | pot-pourri

la corona | wreath

la ghirlanda
garland

Mi dà un mazzo di... per favore?
Can I have a bunch of… please.

Me li può incartare?
Can I have them wrapped?

Posso allegare un messaggio?
Can I attach a message?

Quanto dureranno?
How long will these last?

Sono profumati?
Are they fragrant?

Li può mandare a...?
Can you send them to….?

l'edicola • newsagent

le sigarette
cigarettes

il pacchetto di sigarette
packet of cigarettes

i fiammiferi
matches

i biglietti della lotteria
lottery tickets

i francobolli
stamps

la cartolina
postcard

il giornalino a fumetti
comic

la rivista
magazine

il giornale
newspaper

fumare • smoking

la cannuccia
stem

il fornello
bowl

il tabacco
tobacco

l'accendino
lighter

la pipa
pipe

il sigaro
cigar

il confettiere • confectioner

la scatola di cioccolatini
box of chocolates

la tavoletta spuntino
snack bar

le patatine
crisps

il negozio di dolciumi | sweet shop

vocabolario • vocabulary

il caramello caramel	**il biscotto** biscuit
il tartufo truffle	**le caramelle** boiled sweets
il cioccolato al latte milk chocolate	**il cioccolato bianco** white chocolate
il cioccolato amaro plain chocolate	**la caramelle assortite** pick and mix

i dolciumi • confectionery

il cioccolatino
chocolate

la tavoletta di cioccolata
chocolate bar

le caramelle
sweets

la lecca lecca
lollipop

la caramella mou
toffee

il torrone
nougat

la caramella gommosa
marshmallow

la mentina
mint

la gomma da masticare
chewing gum

la caramella di gelatina
jellybean

la caramella alla frutta
fruit gum

la liquirizia
licquorice

gli altri negozi • other shops

il panificio
baker's

la pasticceria
cake shop

la macelleria
butcher's

la pescheria
fishmonger's

il fruttivendolo
greengrocer's

la drogheria
grocer's

**il negozio di
calzature**
shoe shop

**il negozio di
ferramenta**
hardware shop

**il negozio di
antiquariato**
antiques shop

**il negozio di articoli
da regalo**
gift shop

l'agenzia di viaggi
travel agent's

la gioielleria
jeweller's

la libreria
book shop

il negozio di dischi
record shop

il negozio di liquori
off licence

il negozio di animali
pet shop

il negozio di mobili
furniture shop

la boutique
boutique

vocabolario • vocabulary

l'agenzia immobiliare estate agent's	**il negozio di articoli fotografici** camera shop
il vivaio garden centre	**la lavanderia** launderette
il lavasecco dry cleaner's	**il negozio di alimenti biologici** health food shop
il negozio dell'usato second-hand shop	**il negozio di articoli per l'arte** art shop

la sartoria
tailor's

il parrucchiere
hairdresser's

il mercato | market

il cibo
food

la carne • meat

l'agnello
lamb

il macellaio
butcher

il gancio
meat hook

la bilancia
scales

l'affilacoltelli
knife sharpener

la pancetta
bacon

le salsicce
sausages

il fegato
liver

vocabolario • vocabulary

il maiale pork	**il cervo** venison	**le frattaglie** offal	**ruspante** free range	**la carne rossa** red meat
il manzo beef	**il coniglio** rabbit	**trattato** cured	**biologico** organic	**la carne magra** lean meat
il vitello veal	**la lingua** tongue	**affumicato** smoked	**la carne bianca** white meat	**la carne cotta** cooked meat

i tagli • cuts

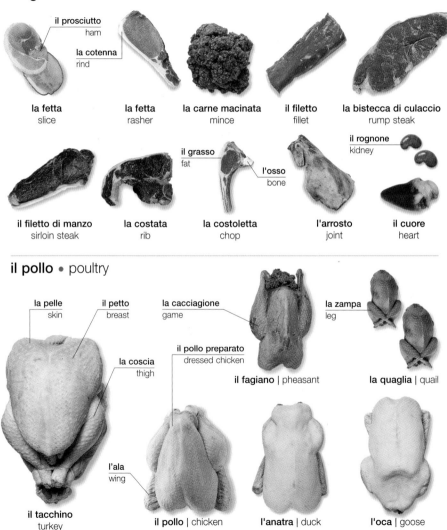

la fetta
slice

il prosciutto
ham

la cotenna
rind

la fetta
rasher

la carne macinata
mince

il filetto
fillet

la bistecca di culaccio
rump steak

il filetto di manzo
sirloin steak

la costata
rib

il grasso
fat

l'osso
bone

la costoletta
chop

l'arrosto
joint

il rognone
kidney

il cuore
heart

il pollo • poultry

la pelle
skin

il petto
breast

la cacciagione
game

la zampa
leg

il pollo preparato
dressed chicken

il fagiano | pheasant

la quaglia | quail

la coscia
thigh

l'ala
wing

il tacchino
turkey

il pollo | chicken

l'anatra | duck

l'oca | goose

il pesce • fish

i gamberi sgusciati
peeled prawns

il ghiaccio
ice

la triglia
red mullet

i filetti di ippoglosso
halibut fillets

la trota
rainbow trout

le pinne di razza
skate wings

la pescheria
fishmonger's

la rana pescatrice
monkfish

lo sgombro
mackerel

la trota
trout

il pesce spada
swordfish

la sogliola
Dover sole

la sogliola limanda
lemon sole

l'eglefino
haddock

la sardina
sardine

la razza
skate

il merlango
whiting

la spigola
sea bass

il salmone | salmon

il merluzzo
cod

l'abramide
sea bream

il tonno
tuna

i frutti di mare • seafood

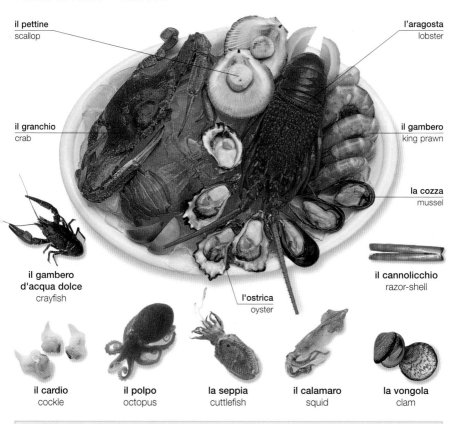

il pettine
scallop

l'aragosta
lobster

il granchio
crab

il gambero
king prawn

la cozza
mussel

il gambero
d'acqua dolce
crayfish

il cannolicchio
razor-shell

l'ostrica
oyster

il cardio
cockle

il polpo
octopus

la seppia
cuttlefish

il calamaro
squid

la vongola
clam

vocabolario • vocabulary

congelato	**pulito**	**affumicato**	**desquamato**	**a filetti**	**il lombo**	**la**	**la**	**la**
frozen	cleaned	smoked	descaled	filleted	loin	**coda**	**spina**	**squama**
						tail	bone	scale
fresco	**salato**	**spellato**	**spinato**	**il filetto**	**la trancia**			
fresh	salted	skinned	boned	fillet	steak	**Me lo pulisce?**		
						Will you clean it for me?		

la verdura 1 • vegetables 1

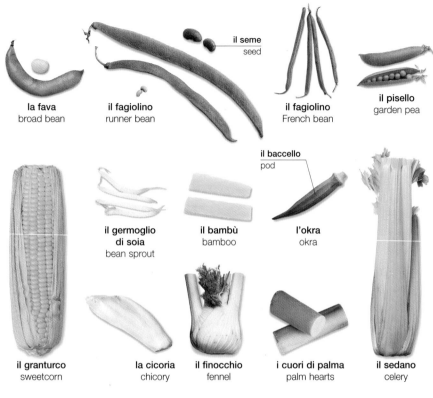

il seme
seed

la fava
broad bean

il fagiolino
runner bean

il fagiolino
French bean

il pisello
garden pea

il baccello
pod

**il germoglio
di soia**
bean sprout

il bambù
bamboo

l'okra
okra

il granturco
sweetcorn

la cicoria
chicory

il finocchio
fennel

i cuori di palma
palm hearts

il sedano
celery

vocabolario • vocabulary

la foglia leaf	**il germoglio** floret	**la punta** tip	**biologico** organic	**Vendete verdure biologiche?** Do you sell organic vegetables?
lo stelo stalk	**il nocciolo** kernel	**il cuore** heart	**la busta di plastica** plastic bag	**Queste sono della zona?** Are these grown locally?

la rucola
rocket

il crescione
watercress

il radicchio
radicchio

il cavolino di Bruxelles
brussel sprout

la bietola
swiss chard

il cavolo verde
kale

l'acetosa
sorrel

l'indivia
endive

il dente di leone
dandelion

gli spinaci
spinach

il cavolo rapa
kohlrabi

la bieta
pak-choi

la lattuga
lettuce

il broccolo
broccoli

il cavolo
cabbage

la verza
spring greens

le verdure 2 • vegetables 2

il carciofo
artichoke

il ravanello
radish

il cavolfiore
cauliflower

la rapa
turnip

la patata
potato

la cipolla
onion

il peperone
pepper

il peperoncino
chilli

la zucca
marrow

vocabolario • vocabulary

il pomodorino cherry tomato	**il sedano rapa** celeriac	**congelato** frozen	**amaro** bitter	**Mi dà un chilo di patate per favore?** Can I have one kilo of potatoes please?
la carota carrot	**la cassava** cassava	**crudo** raw	**sodo** firm	
la patata novella new potato	**la radice di taro** taro root	**piccante** hot (spicy)	**la polpa** flesh	**Quanto costa al chilo?** What's the price per kilo?
il frutto dell'albero del pane breadfruit	**la castagna d'acqua** water chestnut	**dolce** sweet	**la radice** root	**Quelli come si chiamano?** What are those called?

la patata dolce
sweet potato

l'igname
yam

la barbabietola
beetroot

la rapa svedese
swede

il topinambur
Jerusalem
artichoke

il rafano
horseradish

la pastinaca
parsnip

lo zenzero
ginger

la melanzana
aubergine

il pomodoro
tomato

la cipollina
spring onion

il porro
leek

lo scalogno
shallot

l'aglio
garlic

lo spicchio
clove

il tartufo
truffle

il fungo
mushroom

il cetriolo
cucumber

la zucchina
courgette

la zucca
butternut squash

**la zucca a
ghianda**
acorn squash

la zucca
pumpkin

la frutta 1 • fruit 1

gli agrumi • citrus fruit

l'arancio
orange

la clementina
clementine

la scorza
interna
pith

il mapo
ugli fruit

il pompelmo
grapefruit

lo spicchio
segment

il mandarino
tangerine

il satsuma
satsuma

la buccia
zest

la limetta
lime

il limone
lemon

l'arancino cinese
kumquat

les fruits à noyau • stoned fruit

la pesca
peach

la pesca noce
nectarine

l'albicocca
apricot

la prugna
plum

la ciliegia
cherry

la pera
pear

la mela
apple

il cestino di frutta | basket of fruit

i frutti di bosco e i meloni • berries and melons

la fragola
strawberry

il lampone
raspberry

la mora
blackberry

il ribes rosso
redcurrant

il melone
melon

l'uva
grapes

il ribes nero
blackcurrant

l'ossicocco
cranberry

la buccia
rind

il seme
seed

la polpa
flesh

il mirtillo
blueberry

il ribes bianco
white currant

l'anguria
watermelon

la mora-lampone
loganberry

l'uva spina
gooseberry

---

vocabolario • vocabulary

il rabarbaro rhubarb	**amaro** sour	**croccante** crisp	**senza semi** seedless	**Sono maturi?** Are they ripe?
la fibra fibre	**fresco** fresh	**marcio** rotten	**il succo** juice	**Posso assaggiarne uno?** Can I try one?
dolce sweet	**sugoso** juicy	**la polpa** pulp	**il torsolo** core	**Per quanto tempo si mantengono?** How long will they keep?

---

la frutta 2 • fruit 2

il mango
mango

l'ananas
pineapple

l'avocado
avocado

la papaia
papaya

la pesca
peach

il litchi
lychee

il kiwi
kiwifruit

l'alchechengi
cape gooseberry

il seme
pip

la buccia
skin

la mela cotogna
quince

**il frutto
della passione**
passion fruit

la banana
banana

la guaiava
guava

il melograno
pomegranate

il cachi
persimmon

il feijoa
feijoa

il fico d'india
prickly pear

la carambola
starfruit

la mangostina
mangosteen

le noci e la frutta secca • nuts and dried fruit

il pinolo
pine nut

il pistacchio
pistachio

l'anacardio
cashewnut

l'arachide
peanut

la nocciola
hazelnut

la mandorla brasiliana
brazilnut

il pecan
pecan

la mandorla
almond

la noce
walnut

la castagna
chestnut

la macadamia
macadamia

il fico
fig

il dattero
date

la prugna secca
prune

il guscio
shell

la polpa
flesh

l'uva sultanina
sultana

l'uvetta
raisin

l'uva passa
currant

la noce di cocco
coconut

---

vocabolario • vocabulary

verde green	**duro** hard	**il nocciolo** kernel	**salato** salted	**arrostito** roasted	**la frutta tropicale** tropical fruit	**sgusciato** shelled
maturo ripe	**morbido** soft	**essiccato** desiccated	**crudo** raw	**stagionale** seasonal	**la frutta candita** candied fruit	**intero** whole

le granaglie e i legumi secchi • grains and pulses

le granaglie • grains

il grano
wheat

l'avena
oats

l'orzo
barley

vocabolario • vocabulary		
il seme seed	**fresco** fresh	**cottura facile** easy cook
la pula husk	**profumato** fragranced	**integrale** wholegrain
il seme kernel	**il cereale** cereal	**a chicco lungo** long-grain
secco dry	**mettere a bagno** soak (v)	**a chicco corto** short-grain

il miglio
millet

il mais
corn

la quinoa
quinoa

il riso • rice

il riso bianco
white rice

il riso integrale
brown rice

il riso selvatico
wild rice

il riso da budino
pudding rice

i cereali trattati • processed grains

il cuscus
couscous

il grano spezzato
cracked wheat

la semola
semolina

la crusca
bran

i fagioli e i piselli • beans and peas

i fagioli cannellini
butter beans

i fagioli bianchi
haricot beans

i fagioli di Spagna
red kidney beans

i fagioli aduki
aduki beans

le fave
broad beans

i semi di soia
soya beans

i fagioli dall'occhio nero
black-eyed beans

i fagioli borlotti
pinto beans

i fagioli mung
mung beans

i fagioli nani
flageolet beans

le lenticchie marroni
brown lentils

le lenticchie rosse
red lentils

i piselli
green peas

i ceci
chick peas

i piselli spaccati
split peas

i semi • seeds

il seme di zucca
pumpkin seed

il seme di mostarda
mustard seed

il seme di carvi
caraway

il seme di sesamo
sesame seed

il seme di girasole
sunflower seed

le erbe aromatiche e le spezie • herbs and spices

le spezie • spices

la vaniglia
vanilla

la noce moscata
nutmeg

il macis
mace

la curcuma
turmeric

il cumino
cumin

il mazzetto odoroso
bouquet garni

il pepe della Giamaica
allspice

il grano di pepe
peppercorn

il fieno greco
fenugreek

il peperoncino rosso
chilli

lo zafferano
saffron

il cardamomo
cardamom

la polvere di curry
curry powder

intero
whole

tritato
crushed

macinato
ground

la paprica
paprika

a scaglie
flakes

l'aglio
garlic

le erbe aromatiche • herbs

la cannella
cinnamon

il finocchio
fennel

i semi di
finocchio
fennel seeds

l'alloro
bay leaf

il prezzemolo
parsley

la citronella
lemon grass

**i chiodi di
garofano**
cloves

l'erba cipollina
chives

la menta
mint

il timo
thyme

la salvia
sage

il dragoncello
tarragon

la maggiorana
marjoram

il basilico
basil

l'anice stellato
star anise

lo zenzero
ginger

l'origano
oregano

il coriandolo
coriander

l'aneto
dill

il rosmarino
rosemary

i cibi imbottigliati • bottled foods

l'olio di mandorla
almond oil

l'olio di noce
walnut oil

l'olio di semi d'uva
grapeseed oil

il tappo
cork

l'olio di semi di girasole
sunflower oil

l'olio di sesamo
sesame seed oil

l'olio di noccioline
hazelnut oil

l'olio d'oliva
olive oil

le erbe aromatiche
herbs

l'olio aromatizzato
flavoured oil

gli oli
oils

le confetture • sweet spreads

il barattolo
jar

il favo
honeycomb

il miele condensato
set honey

la crema al limone
lemon curd

la marmellata di lamponi
raspberry jam

la marmellata di agrumi
marmalade

il miele sciolto
clear honey

lo sciroppo d'acero
maple syrup

condimenti e cibi da spalmare •
condiments and spreads

l'aceto di sidro
cider vinegar

l'aceto balsamico
balsamic vinegar

la bottiglia
bottle

la senape
English mustard

la maionese
mayonnaise

il ketchup
ketchup

la mostarda
French mustard

l'aceto di malto
malt vinegar

l'aceto di vino
wine vinegar

il chutney
chutney

la salsa
sauce

la mostarda con semi
wholegrain mustard

l'aceto
vinegar

---

il barattolo a chiusura ermetica
sealed jar

il burro di arachidi
peanut butter

la cioccolata spalmabile
chocolate spread

la conserva di frutta
preserved fruit

---

i latticini • dairy produce

il formaggio • cheese

il formaggio
grattugiato
grated cheese

la crosta
rind

il formaggio
semiduro
semi-hard cheese

il formaggio duro
hard cheese

il formaggio
semimorbido
semi-soft cheese

il formaggio
molle fresco
cottage cheese

il formaggio
cremoso
cream cheese

**il formaggio
tipo gorgonzola**
blue cheese

il formaggio morbido
soft cheese

il formaggio fresco | fresh cheese

il latte • milk

**il latte
intero**
whole milk

il latte parzialmente
scremato
semi-skimmed milk

il latte scremato
skimmed milk

il cartone di latte
milk carton

il latte di mucca | cow's milk

**il latte di
capra**
goat's milk

**il latte
condensato**
condensed milk

il burro
butter

la margarina
margarine

la panna
cream

la panna liquida
single cream

la panna densa
double cream

la panna montata
whipped cream

la panna acida
sour cream

lo yogurt
yoghurt

il gelato
ice-cream

le uova • eggs

il tuorlo
yolk

la chiara
egg white

il guscio
shell

il porta uovo
egg cup

l'uovo alla coque
boiled egg

l'uovo di gallina
hen's egg

l'uovo di anatra
duck egg

l'uovo d'oca
goose egg

l'uovo di quaglia
quail egg

vocabolario • vocabulary

pastorizzato pasteurized	**senza grassi** fat free	**salato** salted	**il siero di latte** buttermilk	**il lattosio** lactose	**il frullato** milkshake
non pastorizzato unpasteurized	**il latte in polvere** powdered milk	**senza sale** unsalted	**il latte di pecora** sheep's milk	**omogeneizzato** homogenised	**lo yogurt gelato** frozen yoghurt

il pane e le farine • breads and flours

il pane affettato
sliced bread

i semi di papavero
poppy seeds

il pane di segale
rye bread

il filone
baguette

il panificio | bakery

fare il pane • making bread

la farina bianca
white flour

la farina integrale
brown flour

la farina integrale
wholemeal flour

il lievito
yeast

setacciare | sift (v)

mescolare | mix (v)

la pasta
dough

impastare | knead (v)

cuocere al forno | bake (v)

la crosta
crust

il filone
loaf

la fetta
slice

il pane bianco
white bread

il pane nero
brown bread

il pane integrale
wholemeal bread

il pane di granaio
granary bread

il pane di mais
corn bread

il pane lievitato con bicarbonato di sodio
soda bread

il pane aspro
sourdough bread

la schiacciata
flatbread

la ciambella
bagel

il panino
bap

il filoncino
roll

il pane alla frutta
fruit bread

il pane con semi
seeded bread

il naan
naan bread

la pita
pitta bread

i crackers
crispbread

vocabolario • vocabulary

la farina autolievitante self-raising flour	**la farina semplice** plain flour	**lievitare** prove (v)	**le briciole** breadcrumbs	**l'affettatrice** slicer
la farina per il pane strong flour	**crescere** rise (v)	**glassare** glaze (v)	**il filoncino** flute	**il panettiere** baker

i dolci e i dessert • cakes and desserts

il bigné
éclair

il bignè
choux pastry

la pasta sfoglia
puff pastry

la panna
cream

la pasta filo
filo pastry

il ripieno
filling

ricoperto di cioccolato
chocolate coated

il dolce alla frutta
fruit cake

il muffin
muffin

la crostatina
fruit tart

il pan di Spagna
sponge cake

la meringa
meringue

i dolci | cakes

vocabolario • vocabulary

la crema pasticcera crème patisserie	**la focaccina** bun	**la pasta** pastry	**il budino di riso** rice pudding	**Posso avere una fetta?** May I have a slice please?
la torta al cioccolato chocolate cake	**la crema** custard	**la fetta** slice	**la festa** celebration	

il biscotto con scaglie di cioccolato
chocolate chip

i savoiardi
sponge fingers

il biscotto alle noci
florentine

la zuppa inglese
trifle

i biscotti | biscuits

il mousse
mousse

il sorbetto
sorbet

la torta alla crema
cream pie

il crème caramel
crème caramel

le torte per celebrazioni • celebration cakes

il piano superiore
top tier

il nastro
ribbon

il piano inferiore
bottom tier

la glassa
icing

il marzapane
marzipan

la decorazione
decoration

le candeline
birthday candles

soffiare
blow out (v)

la torta nuziale | wedding cake

la torta di compleanno | birthday cake

la salumeria • delicatessen

la salsiccia piccante
spicy sausage

l'aceto
vinegar

l'olio
oil

los formato
flan

la carne cruda
uncooked meat

il banco
counter

il salame
salami

il salame piccante
pepperoni

il pâté
pâté

la mozzarella
mozzarella

il brie
brie

il formaggio di capra
goat's cheese

il cheddar
cheddar

il parmigiano
parmesan

il camembert
camembert

la scorza
rind

l'edam
edam

il manchego
manchego

i pasticci di carne
pies

l'oliva nera
black olive

il peperoncino
chili

la salsa
sauce

il panino
bread roll

la carne cotta
cooked meat

l'oliva verde
green olive

il prosciutto
ham

la paninoteca
sandwich counter

il pesce affumicato
smoked fish

i capperi
capers

il chorizo
chorizo

il prosciutto crudo
prosciutto

le olive ripiene
stuffed olive

vocabolario • vocabulary

sott'olio	**marinato**	**affumicato**
in oil	marinated	smoked
in salamoia	**salato**	**trattato**
in brine	salted	cured

Prenda un numero, per favore.
Take a number please.

Posso assaggiare un po' di quello, per favore?
Can I try some of that please?

Mi dà sei fette di quello, per favore?
May I have six slices of that please?

le bevande • drinks

l'acqua • water

l'acqua in bottiglia
bottled water

frizzante
sparkling

liscia
still

l'acqua minerale
mineral water

l'acqua dal rubinetto
tap water

l'acqua tonica
tonic water

la soda
soda water

le bevande calde • hot drinks

la bustina di tè
teabag

il tè sciolto
loose leaf tea

il tè
tea

i chicchi
beans

il caffè macinato
ground coffee

il caffè
coffee

il cioccolato caldo
hot chocolate

la bevanda al malto
malted drink

le bibite • soft drinks

la cannuccia
straw

il succo di pomodoro
tomato juice

il succo d'uva
grape juice

la limonata
lemonade

la spremuta d'arancia
orangeade

la coca
cola

le bevande alcoliche • alcoholic drinks

il gin
gin

la lattina
can

la birra
beer

le cidre
cider

la birra amara
bitter

la birra scura
stout

la vodka
vodka

il whisky
whisky

il rum
rum

il brandy
brandy

il porto
port

sec
dry

lo sherry
sherry

il campari
campari

rosé
rosé

bianco
white

rosso
red

il vino
wine

il liquore
liqueur

la tequila
tequila

lo champagne
champagne

mangiare fuori
eating out

il caffè • café

il menù
menu

la tenda
awning

l'ombrellone
umbrella

il bar con terrazza
terrace café

il
cameriere
waiter

la macchina
del caffè
coffee machine

il tavolo
table

il bar all'aperto | pavement café

lo snack bar | snack bar

il caffè • coffee

il caffè
macchiato
white coffee

il caffè nero
black coffee

la polvere
di cacao
cocoa powder

la schiuma
froth

il caffè filtrato
filter coffee

l'espresso
espresso

il cappuccino
cappuccino

il caffè freddo
iced coffee

il tè • tea

il tè alle erbe
herbal tea

la camomilla
camomile tea

il tè verde
green tea

il tè con latte
tea with milk

il tè nero
black tea

il tè al limone
tea with lemon

il tè alla menta
mint tea

il tè freddo
iced tea

le spremute e i frappé • juices and milkshakes

il frappé al cioccolato
chocolate milkshake

il frappé alle fragole
strawberry milkshake

il frappé al caffè
coffee milkshake

il succo d'arancia
orange juice

il succo di mela
apple juice

il succo d'ananas
pineapple juice

il succo di pomodoro
tomato juice

il cibo • food

il pane integrale
brown bread

la pallina
scoop

il tramezzino tostato
toasted sandwich

l'insalata
salad

il gelato
ice cream

la pasta
pastry

il bar • bar

il misurino
optic

la cassa
till

il barista
bartender

lo spillatore
di birra
beer tap

la macchina
da caffè
coffee machine

i bicchieri
glasses

il portaghiaccio
ice bucket

lo sgabello
bar stool

il posacenere
ashtray

il sottobicchiere
coaster

il banco
bar counter

l'apribottiglie
bottle opener

le pinze
tongs

il miscelatore
stirrer

la leva
lever

il misurino
measure

il cavatappi | corkscrew

lo shaker | cocktail shaker

la brocca pitcher

il cubetto di ghiaccio ice cube

il gin tonic gin and tonic

il whisky con acqua scotch and water

il rum con coca cola rum and coke

la vodka all'arancia vodka and orange

il martini martini

il cocktail cocktail

il vino wine

la birra | beer

doppio double

singolo single

con ghiaccio e limone ice and lemon

un bicchiere a shot

la misura measure

liscio without ice

con ghiaccio with ice

gli stuzzichini • bar snacks

gli anacardi cashewnuts

le noccioline americane peanuts

le mandorle almonds

le patatine | crisps

le noccioline | nuts

le olive | olives

il ristorante • restaurant

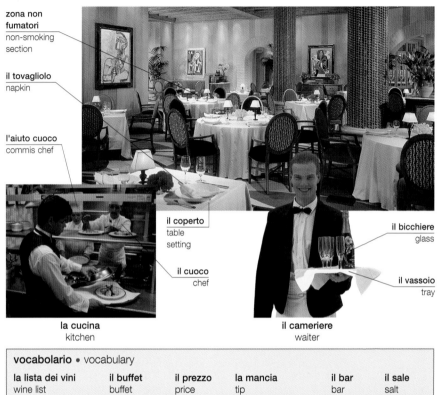

zona non
fumatori
non-smoking
section

il tovagliolo
napkin

l'aiuto cuoco
commis chef

il coperto
table
setting

il cuoco
chef

il bicchiere
glass

il vassoio
tray

la cucina
kitchen

il cameriere
waiter

---

vocabolario • vocabulary

la lista dei vini wine list	**il buffet** buffet	**il prezzo** price	**la mancia** tip	**il bar** bar	**il sale** salt
il menù del pranzo lunch menu	**a la carte** à la carte	**il conto** bill	**servizio compreso** service included	**il cliente** customer	**il pepe** pepper
il menù della cena evening menu	**il carrello dei dolci** sweet trolley	**la ricevuta** receipt	**servizio non compreso** service not included	**la zona fumatori** smoking section	**i piatti del giorno** specials

il menù
menu

il menù per bambini
child's meal

ordinare
order (v)

pagare
pay (v)

le portate • courses

l'aperitivo
apéritif

l'antipasto
starter

la minestra
soup

il piatto principale
main course

il contorno
side order

la forchetta
fork

il cucchiaino
da caffè
coffee spoon

il **dessert** | dessert

il **caffè** | coffee

Un tavolo per due, per favore.
A table for two please.

Posso vedere il menù\la lista dei vini, per favore?
Can I see the menu/winelist please?

C'è un menù a prezzo fisso ?
Is there a fixed price menu?

Avete dei piatti vegetariani ?
Do you have any vegetarian dishes?

Posso avere il conto\una ricevuta per favore?
Could I have the bill/a receipt please?

Possiamo pagare separatamente?
Can we pay separately?

Dove sono i bagni per favore?
Where are the toilets, please?

il fast food • fast food

l'hamburger
burger

la cannuccia
straw

la bibita
soft drink

le patate fritte
french fries

il tovagliolo
di carta
paper napkin

il vassoio
tray

il pasto con hamburger
burger meal

la pizza
pizza

il listino
price list

la bibita in lattina
canned drink

la consegna a domicilio
home delivery

il venditore ambulante
street stall

vocabolario •
vocabulary

la pizzeria
pizza parlour

il fastfood
burger bar

il menù
menu

mangiare sul posto
eat-in

da portar via
take-away

riscaldare
re-heat (v)

la salsa di pomodoro
tomato sauce

Me lo dà da portar via?
Can I have that to go
please?

**Consegnate a
domicilio?**
Do you deliver?

l'hamburger
hamburger

l'hamburger di pollo
chicken burger

l'hamburger vegetariano
veggie burger

la senape
mustard

il wurstel
sausage

l'hot dog
hot dog

il panino
bun

il tramezzino
sandwich

il tramezzino a strati
club sandwich

il tramezzino aperto
open sandwich

il ripieno
filling

la piadina
wrap

la salsa
sauce

salato
savoury

dolce
sweet

il condimento
topping

il kebab
kebab

i bocconcini di pollo
chicken nuggets

le crêpes | crêpes

il pesce con patatine
fish and chips

le costolette
ribs

il pollo fritto
fried chicken

la pizza
pizza

la colazione • breakfast

il latte	il cereale	la marmellata	la frutta	il prosciutto	il formaggio	il pane
milk	cereal	jam	**secca**	ham	cheese	**biscottato**
			dried fruit			crispbread

il buffet della colazione
breakfast buffet

**la marmellata
di agrumi**
marmalade

il pâté
pâté

il burro
butter

**il succo
di frutta**
fruit juice

il caffè
coffee

la cioccolata calda
hot chocolate

il cornetto
croissant

il tè
tea

il tavolo della colazione | breakfast table

le bevande | drinks

la brioche
brioche

il pane
bread

il pomodoro
tomato

il sanguinaccio
black pudding

il pane
tostato
toast

la salsiccia
sausage

l'uovo fritto
fried egg

la pancetta
bacon

la colazione all'inglese
English breakfast

le aringhe affumicate
kippers

il pane fritto all'uovo
french toast

il tuorlo
yolk

l'uovo alla coque
boiled egg

le uova strapazzate
scrambled eggs

la panna
cream

lo yogurt alla frutta
fruit yoghurt

le crêpes
pancakes

i waffle
waffles

il porridge
porridge

la frutta fresca
fresh fruit

la cena • dinner

la minestra | soup

la zuppa | broth

lo stufato | stew

il curry | curry

l'arrosto
roast

il pasticcio
pie

il soufflé
soufflé

lo spiedino
kebab

le polpette
meatballs

la frittata
omelette

la frittura | stir fry

i taglierini
noodles

la pasta | pasta

il riso
rice

l'insalata mista
mixed salad

l'insalata verde
green salad

il condimento
dressing

i metodi • techniques

imbottito | stuffed

al sugo | in sauce

alla griglia | grilled

marinato | marinated

affogato | poached

schiacciato | mashed

cotto al forno | baked

fritto in padella | pan fried

fritto
fried

sottaceto
pickled

affumicato
smoked

fritto in olio abbondante
deep fried

allo sciroppo
in syrup

condito
dressed

al vapore
steamed

seccato
cured

lo studio
study

la scuola • school

l'insegnante
teacher

la lavagna
blackboard

lo scolaro
schoolboy

l'alunno
pupil

la divisa
scolastica
school uniform

il banco
desk

la cartella
school bag

il gesso
chalk

l'aula | classroom

la scolara
schoolgirl

---

vocabolario • vocabulary

la storia history	l'arte art	la fisica physics
la letteratura literature	la musica music	la chimica chemistry
le lingue languages	la matematica maths	la biologia biology
la geografia geography	la scienza science	l'educazione fisica physical education

le attività • activities

leggere | read (v)

scrivere | write (v)

scandire
spell (v)

disegnare
draw (v)

---

la punta
nib

la matita colorata
colouring pencil

il
temperamatite
pencil
sharpener

la lavagna luminosa
overhead projector

la penna
pen

la matita
pencil

la gomma
rubber

il quaderno
notebook

il libro di testo | textbook

l'astuccio
pencil case

il righello
ruler

domandare
question (v)

rispondere
answer (v)

discutere
discuss (v)

imparare
learn (v)

vocabolario • vocabulary

il preside head teacher	la risposta answer	il livello grade
la lezione lesson	i compiti homework	la classe year
la domanda question	il tema essay	il dizionario dictionary
prendere appunti take notes (v)	l'esame examination	l'enciclopaedia encyclopedia

la matematica • maths

le forme • shapes

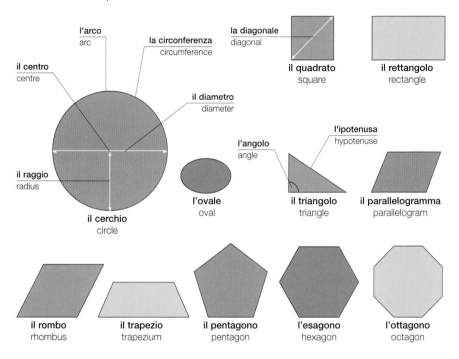

l'arco
arc

la circonferenza
circumference

la diagonale
diagonal

il quadrato
square

il rettangolo
rectangle

il centro
centre

il diametro
diameter

l'ipotenusa
hypotenuse

l'angolo
angle

il raggio
radius

l'ovale
oval

il triangolo
triangle

il parallelogramma
parallelogram

il cerchio
circle

il rombo
rhombus

il trapezio
trapezium

il pentagono
pentagon

l'esagono
hexagon

l'ottagono
octagon

i solidi • solids

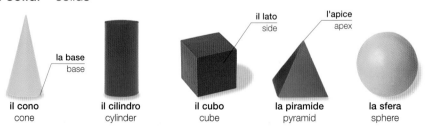

il lato
side

l'apice
apex

la base
base

il cono
cone

il cilindro
cylinder

il cubo
cube

la piramide
pyramid

la sfera
sphere

le linee • lines

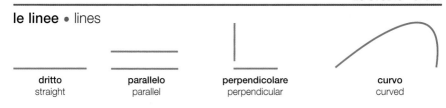

dritto
straight

parallelo
parallel

perpendicolare
perpendicular

curvo
curved

le misure • measurements

il volume
volume

la frazione
fraction

il numeratore
numerator

il denominatore
denominator

le dimensioni
dimensions

la larghezza
width

l'altezza
height

la profondità
depth

la
lunghezza
length

la superficie
area

l'attrezzatura • equipment

la squadra
set square

il goniometro
protractor

il righello
ruler

il compasso
compass

la calcolatrice
calculator

vocabolario • vocabulary

la geometria geometry	**più** plus	**contare** count (v)	**uguale** equals	**sommare** add (v)	**moltiplicare** multiply (v)	**l'equazione** equation
l'aritmetica arithmetic	**meno** minus	**diviso per** divided by	**moltiplicato per** times	**sottrarre** subtract (v)	**dividere** divide (v)	**la percentuale** percentage

la scienza • science

il laboratorio
laboratory

la bilancia
scales

il peso
weight

la bilancia a molla
spring balance

il crogiolo
crucible

il becco
Bunsen
bunsen burner

il treppiede
tripod

la bottiglia
di vetro
glass bottle

il sostegno del morsetto
clamp stand

la provetta
test tube

la rastrelliera
rack

l'imbuto
funnel

il morsetto
clamp

il tappo
stopper

il cronometro
timer

l'ampolla
flask

la capsula di Petri
petri dish

l'esperimento | experiment

il termometro
thermometer

la siringa
syringe

le pinzette
tweezers

il bisturi
scalpel

il contagocce
dropper

il forcipe | forceps

le tenaglie
tongs

la spatola
spatula

il pestello
pestle

il mortaio
mortar

il filtro di carta
filter paper

gli occhiali protettivi
safety goggles

l'oculare
eyepiece

la manopola di messa a fuoco
focusing knob

l'obiettivo
objective lens

il ripiano
stage

la lastrina
slide

lo specchio
mirror

la bacchetta di vetro
glass rod

la pipetta
pipette

il becher
beaker

la calamita
magnet

il morsetto
crocodile clip

il microscopio | microscope

l'elettrodo negativo
negative electrode

l'elettrodo positivo
positive electrode

la batteria | battery

l'università • college

l'ufficio
iscrizioni
admissions

il campo
sportivo
sports field

il refettorio
refectory

la casa dello
studente
hall of
residence

l'ambulatorio
health centre

il catalogo
catalogue

il campus | campus

la bibliotecaria
librarian

il banco prestiti
loans desk

lo scaffale
bookshelf

il periodico
periodical

la rivista
journal

la biblioteca | library

---

vocabolario • vocabulary

il tesserino library card	**il prestito** loan	**il libro** book
la corsia aisle	**rinnovare** renew (v)	**il titolo** title
la lista dei libri reading list	**prendere in prestito** borrow (v)	**la sala di lettura** reading room
il banco informazioni enquiries	**prenotare** reserve (v)	**la data di restituzione** return date

---

lo studente universitario
undergraduate

il docente
lecturer

la laureata
graduate

la toga
robe

l'aula
lecture theatre

la consegna delle lauree
graduation ceremony

le scuole • schools

la modella
model

la scuola d'arte
art college

il conservatorio
music school

l'accademia di danza
dance academy

---

vocabolario • vocabulary

la borsa di studio scholarship	**la ricerca** research	**la dissertazione** dissertation	**la medicina** medicine	**l'economia** economics
il diploma diploma	**il master** masters	**il dipartimento** department	**la zoologia** zoology	**la politica** politics
la laurea degree	**il dottorato** doctorate	**il diritto** law	**la fisica** physics	**la letteratura** literature
di perfezionamento postgraduate	**la tesi** thesis	**l'ingegneria** engineering	**la filosofia** philosophy	**la storia dell'arte** history of art

---

il lavoro
work

l'ufficio 1 • office 1

l'ufficio • office

il portapenne
desktop organizer

la cartellina
file

il vassoio in arrivo
in-tray

il monitor
monitor

il vassoio
in partenza
out-tray

il computer
computer

la tastiera
keyboard

il blocco
notebook

il telefono
telephone

l'etichetta
label

la scrivania
desk

il cestino
wastebasket

la sedia
girevole
swivel chair

la cassettiera
drawer unit

il cassetto
drawer

lo schedario
filing cabinet

l'apparecchiature da ufficio • office equipment

la contenitore
per la carta
paper tray

la guida
paper guide

il fax
fax

la stampante | printer

il fax | fax machine

vocabolario • vocabulary

stampare
print (v)

ingrandire
enlarge (v)

copiare
copy (v)

ridurre
reduce (v)

Devo fare delle copie.
I need to make some copies.

gli articoli di cancelleria • office supplies

il foglietto di omaggio
compliments slip

la carta intestata
letterhead

la busta
envelope

la scatola d'archivio
box file

il portablocco con fermaglio
clipboard

il blocco per appunti
note pad

l'etichetta
tab

la cartella sospesa
hanging file

il divisore
divider

il portacarte a fisarmonica
concertina file

il raccoglitore a leva
lever arch file

l'agenda
personal organizer

i punti
staples

il nastro adesivo
sticky tape

la cucitrice
stapler

il dispenser
tape dispenser

il perforatore
hole punch

il tampone di inchiostro
ink pad

il timbro umido
rubber stamp

l'elastico
rubber band

la molletta
bulldog clip

la grappetta
paper clip

la puntina
drawing pin

il tabellone | notice board

l'ufficio 2 • office 2

il poster scorrevole
flipchart

il cavalletto
easel

il direttore
manager

la proposta
proposal

il verbale
minutes

la relazione
report

il
dirigente
executive

la riunione | meeting

vocabolario • vocabulary

la sala da riunione meeting room	**partecipare** attend (v)
l'ordine del giorno agenda	**presiedere** chair (v)

A che ora è la riunione?
What time is the meeting?

Qual è il vostro orario di lavoro?
What are your office hours?

il relatore
speaker

la lavagna
luminosa
projector

la presentazione | presentation

gli affari • business

il laptop
laptop

gli appunti
notes

l'uomo di affari
businessman

la donna di affari
businesswoman

il pranzo di affari
business lunch

il viaggio di affari
business trip

l'appuntamento
appointment

il cliente
client

l'amministratore
delegato
managing
director

il palmtop
palmtop

l'agenda | diary

l'accordo di affari
business deal

---

vocabolario • vocabulary

la società company	**il personale** staff	**l'ufficio contabilità** accounts department	**l'ufficio legale** legal department
la sede head office	**il libro paga** payroll	**l'ufficio marketing** marketing department	**l'ufficio di assistenza al cliente** customer service department
la succursale branch	**lo stipendio** salary	**l'ufficio vendite** sales department	**l'ufficio del personale** personnel department

---

il computer • computer

la stampante
printer

il monitor
monitor

lo schermo
screen

il CPU
central processing
unit

lo scanner
scanner

l'altoparlante
speaker

il tasto
key

la tastiera
keyboard

il mouse
mouse

l'hardware
hardware

il dischetto
disk

il computer portatile
laptop

l'hard drive
hard drive

il modem
modem

vocabolario • vocabulary

la memoria	il software	il server
memory	software	server
la RAM	l'applicazione	la porta
RAM	application	port
i byte	il programma	il processore
bytes	program	processor
il sistema	la rete	il cavo di
system	network	alimentazione
		power cable

il desktop • desktop

la barra del menu
menubar

la barra degli strumenti
toolbar

lo sfondo
wallpaper

il carattere
font

l'icona
icon

la barra di scorrimento
scrollbar

la finestra
window

il file
file

la cartella
folder

il cestino
trash

Internet • internet

la navigazione
browse (v)

il browser
browser

la posta in arrivo
inbox

il sito web
website

la posta elettronica • email

l'indirizzo di posta elettronica
email address

vocabolario • vocabulary

collegare connect (v)	**il fornitore di servizi** service provider	**collegarsi** log on (v)	**scaricare** download (v)	**spedire** send (v)	**salvare** save (v)
installare instal (v)	**l'account di posta elettronica** email account	**in rete** on-line	**l'allegato** attachment	**ricevere** receive (v)	**cercare** search (v)

i mass media • media

lo studio televisivo • television studio

il presentatore
presenter

la lampada
light

il set
set

la telecamera
camera

il carrello della telecamera
camera crane

il cameraman
cameraman

vocabolario • vocabulary

il canale channel	**il documentario** documentary	**la stampa** press	**la telenovela** soap	**in differita** prerecorded	**in diretta** live
la programmazione programming	**il telegiornale** news	**le serie televisiva** television series	**il gioco a premi** game show	**il cartone animato** cartoon	**trasmettere** broadcast (v)

l'intervistatore
interviewer

la cronista
reporter

il gobbo
autocue

l'annunciatrice
newsreader

gli attori
actors

la giraffa
sound boom

il ciac
clapper board

il set
film set

la radio • radio

il piano di mixaggio
mixing desk

il microfono
microphone

il tecnico del suono
sound technician

lo studio di registrazione | recording studio

vocabolario • vocabulary	
sintonizzare tune (v)	**l'onda corta** short wave
il DJ DJ	**l'onda media** medium wave
la trasmissione broadcast	**la frequenza** frequency
la lunghezza d'onda wavelength	**il canale radiofonico** radio station
l'onda lunga long wave	**il volume** volume

la legge • law

la guardia
court officer

il testimone
witness

il giudice
judge

l'avvocato
lawyer

la giuria
jury

il banco della giuria
jury box

l'aula del tribunale | courtroom

il pubblico ministero
prosecution

il cancelliere
court official

---

vocabolario • vocabulary

il cliente
client

la citazione
summons

l'ordine
writ

il procedimento
court case

la consulenza legale
legal advice

la dichiarazione
statement

l'accusato
accused

l'imputazione
charge

lo studio dell'avvocato
lawyer's office

il mandato
warrant

la petizione
plea

la data di comparizione
court date

---

lo stenografo
stenographer

la persona
sospetta
suspect

l'imputato
defendant

la difesa
defence

il criminale
criminal

il fotofit
photofit

la fedina penale
criminal record

la guardia carceraria
prison guard

la cella
cell

il carcere
prison

---

vocabolario • vocabulary

la prova evidence	**colpevole** guilty	**la cauzione** bail	**Voglio vedere un avvocato.** I want to see a lawyer.
il verdetto verdict	**assolto** acquitted	**il ricorso** appeal	**Dov'è il palazzo di giustizia?** Where is the courthouse?
innocente innocent	**la sentenza** sentence	**la libertà per buona condotta** parole	**Posso versare una cauzione?** Can I post bail?

la fattoria 1 • farm 1

l'agricoltore farmer

il terreno agricolo — farmland

l'aia — farmyard

il capanno — outbuilding

il casolare — farmhouse

il campo — field

il granaio — barn

l'orto — vegetable plot

la siepe — hedge

il cancello — gate

il recinto — fence

il pascolo — pasture

il bestiame — livestock

l'aratro — cultivator

il trattore | tractor

la mietitrebbia | combine harvester

italiano • english

i tipi di fattoria • types of farm

il raccolto
crop

l'azienda agricola
arable farm

il caseificio
dairy farm

il gregge
flock

**l'allevamento
di pecore**
sheep farm

l'azienda avicola
poultry farm

l'allevamento di maiali
pig farm

il vivaio ittico
fish farm

l'azienda ortofrutticola
fruit farm

la vigna
vine

il vigneto
vineyard

le attività • actions

il solco
furrow

arare
plough (v)

seminare
sow (v)

mungere
milk (v)

dar da mangiare
feed (v)

irrigare | water (v)

raccogliere | harvest (v)

vocabolario • vocabulary

l'erbicida herbicide	**la mandria** herd	**la mangiatoia** trough
il pesticida pesticide	**il silos** silo	**piantare** plant (v)

la fattoria 2 • farm 2

le colture • crops

il grano
wheat

il granturco
corn

l'orzo
barley

la colza
rapeseed

il girasole
sunflower

la balla
bale
il fieno
hay

l'alfalfa
alfalfa

il tabacco
tobacco

il riso
rice

il tè
tea

il caffè
coffee

il lino
flax

la canna da zucchero
sugarcane

il cotone
cotton

lo spaventapasseri
scarecrow

il bestiame • livestock

il maialino
piglet

il vitello
calf

il maiale
pig

la mucca
cow

il toro
bull

la pecora
sheep

il capretto
kid

il puledro
foal

l'agnello
lamb

la capra
goat

il cavallo
horse

l'asino
donkey

il pulcino
chick

l'anatroccolo
duckling

la gallina
chicken

il gallo
cockerel

il tacchino
turkey

l'anatra
duck

la stalla
stable

il recinto
pen

il pollaio
chicken coop

il porcile
pigsty

l'edilizia • construction

l'impalcatura
scaffolding

il pallet
pallet

la scala
ladder

la finestra
window

la trave
rafter

il carrello elevatore
fork-lift truck

il cantiere
building site

l'architrave
lintel

il muro
wall

la trave
girder

il casco
hard hat

la cintura per
gli attrezzi
toolbelt

la trave
beam

il cemento
cement

costruire
build (v)

il muratore
builder

la betoniera
cement mixer

i materiali • materials

il mattone
brick

il legno
timber

la tegola
roof tile

il blocco di calcestruzzo
concrete block

gli attrezzi • tools

la malta
mortar

la cazzuola
trowel

la livella
spirit level

il manico
handle

la mazza
sledgehammer

il piccone
pickaxe

la pala
shovel

i macchinari •
machinery

il rullo compressore
roller

il camion con cassone ribaltabile
dumper truck

il supporto
support

il gancio
hook

la gru | crane

i lavori stradali • roadworks

il catrame
tarmac

il birillo
cone

il martello pneumatico
pneumatic drill

la riasfaltatura
resurfacing

l'escavatrice meccanica
mechanical digger

i mestieri 1 • occupations 1

il falegname
carpenter

l'elettricista
electrician

l'idraulico
plumber

il muratore
builder

il giardiniere
gardener

l'aspirapolvere
vacuum cleaner

l'addetto alle pulizie
cleaner

il meccanico
mechanic

il macellaio
butcher

le
forbici
scissors

il parrucchiere
hairdresser

la pescivendola
fishmonger

il fruttivendolo
greengrocer

la fioraia
florist

il barbiere
barber

il gioielliere
jeweller

la commessa
shop assistant

l'agente immobiliare
estate agent

l'ottico
optician

la
mascherina
mask

la dentista
dentist

il medico
doctor

la farmacista
pharmacist

l'infermiera
nurse

la veterinaria
vet

l'agricoltore
farmer

il pescatore
fisherman

la mitragliatrice
machine-gun

il distintivo
identity badge

la guardia di sicurezza
security guard

la divisa
uniform

il marinaio
sailor

il soldato
soldier

il poliziotto
policeman

il vigile del fuoco
fireman

i mestieri 2 • occupations 2

l'avvocato
lawyer

il commercialista
accountant

il modello
model

l'architetto
architect

lo scienziato
scientist

l'insegnante
teacher

il bibliotecario
librarian

l'addetta alla ricezione
receptionist

la
borsa
mailbag

il postino
postman

l'autista
bus driver

il camionista
lorry driver

il tassista
taxi driver

il pilota
pilot

l'assistente di volo
air stewardess

l'agente di viaggio
travel agent

il cappello
chef's hat

il cuoco
chef

il tutù
tutu

il musicista
musician

la ballerina
dancer

l'attore
actor

la cantante
singer

la cameriera
waitress

il barista
barman

l'atleta
sportsman

lo scultore
sculptor

la pittrice
painter

il fotografo
photographer

l'annunciatore
newsreader

les notes
notes

il giornalista
journalist

la redattrice
editor

la disegnatrice
designer

la costumista
seamstress

il sarto
tailor

i trasporti
transport

le strade • roads

l'autostrada
motorway

il casello
toll booth

la segnaletica
orizzontale
road markings

la rampa
di accesso
slip road

a senso unico
one-way

la linea divisoria
divider

lo svincolo
junction

il semaforo
traffic light

la corsia interna
inside lane

la corsia
centrale
middle lane

la corsia
esterna
outside lane

la rampa di uscita
exit ramp

il traffico
traffic

il cavalcavia
flyover

la corsia
d'emergenza
hard shoulder

il camion
lorry

la banchina
spartitraffico
le terre-plein

il sottopassaggio
underpass

il telefono per
emergenze
emergency phone

il parcheggio per
disabili
disabled parking

il passaggio
pedonale
pedestrian crossing

l'ingorgo
traffic jam

la
mappa
map

il parchimetro
parking meter

il vigile urbano
traffic policeman

---

vocabolario • vocabulary

la rotatoria roundabout	**sorpassare** overtake (v)	**i lavori stradali** roadworks
la deviazione diversion	**parcheggiare** park (v)	**la carreggiata doppia** dual carriageway
il guardrail crash barrier	**rimorchiare** tow away (v)	**È questa la strada per ...?** Is this the road to...?
fare marcia indietro reverse (v)	**guidare** drive (v)	**Dove posso parcheggiare?** Where can I park?

---

i cartelli stradali • road signs

ingresso
vietato
no entry

il limite di
velocità
speed limit

pericolo
hazard

sosta vietata
no stopping

svolta a destra
vietata
no right turn

---

l'autobus • bus

il sedile
dell'autista
driver's seat

la maniglia
handrail

la porta a soffietto
automatic door

la ruota
anteriore
front wheel

il bagagliaio
luggage hold

la porta | door

il pullman | coach

i tipi di autobus • types of buses

il numero
del percorso
route number

l'autista
driver

l'autobus a due piani
double-decker bus

il tram
tram

il filobus
trolley bus

lo scuolabus | school bus

la ruota
posteriore
rear wheel

il finestrino
window

il pulsante
di chiamata
stop button

il biglietto
bus ticket

il campanello
bell

l'autostazione
bus station

la fermata
dell'autobus
bus stop

vocabolario • vocabulary

la tariffa fare	**la pensilina** bus shelter
l'orario timetable	**l'accesso per sedie a rotelle** wheelchair access
Ferma a...? Do you stop at...?	**Qual è l'autobus per...?** Which bus goes to...?

il pulmino
minibus

il pullman turistico | tourist bus

la navetta | shuttle bus

l'automobile 1 • car 1

l'esterno • exterior

lo specchietto laterale
wing mirror

il parabrezza
windscreen

lo specchietto retrovisore
le rétroviseur

il tergicristallo
windscreen wiper

lo sportello
door

il cofano
bonnet

il bagagliaio
boot

la freccia
indicator

la targa
licence plate

il paraurti
bumper

il faro
headlight

la ruota
wheel

il pneumatico
tyre

i bagagli
luggage

il portabagagli
roofrack

il portellone
tailgate

la cintura di sicurezza
seat belt

il seggiolino per bambino
child seat

i tipi • types

l'auto piccola
small car

l'auto a cinque porte
hatchback

la berlina
saloon

l'auto familiare
estate

l'auto decappottabile
convertible

l'auto sportiva
sports car

la monovolume
people carrier

il fuoristrada
four-wheel drive

l'auto d'epoca
vintage

la limousine
limousine

la stazione di servizio • petrol station

la pompa di benzina
petrol pump

il prezzo
price

l'area di stazionamento
forecourt

il distributore di aria compressa
air supply

vocabolario • vocabulary

l'olio oil	**piombata** leaded	**l'autolavaggio** car wash
la benzina petrol	**il diesel** diesel	**l'antigelo** antifreeze
senza piombo unleaded	**il garage** garage	**il detergente per vetri** screenwash

Il pieno per favore.
Fill the tank, please.

l'automobile 2 • car 2

l'interno • interior

| il sedile posteriore | il bracciolo | il poggiatesta | la sicura | la maniglia |
| back seat | armrest | headrest | door lock | handle |

vocabolario • vocabulary

a due porte	**a quattro porte**	**automatico**	**il freno**	**l'acceleratore**
two-door	four-door	automatic	brake	accelerator
a tre porte	**manuale**	**l'accensione**	**la frizione**	**l'aria condizionata**
three-door	manual	ignition	clutch	air conditioning

Può indicarmi la strada per...?	**Dov'è il parcheggio?**	**Posso parcheggiare qui?**
Can you tell me the way to...?	Where is the car park?	Can I park here?

i comandi • controls

il volante
steering wheel

il clacson
horn

il cruscotto
dashboard

le luci intermittenti
hazard lights

la navigazione via satellite
satellite navigation

la guida a sinistra | left-hand drive

la spia della temperatura
temperature gauge

il contagiri
rev counter

il contachilometri
speedometer

la spia del carburante
fuel gauge

l'autoradio
car stereo

l'interruttore per le luci
lights switch

i comandi per il riscaldamento
heater controls

l'odometro
odometer

la leva del cambio
gearstick

l'airbag
air bag

la guida a destra | right-hand drive

l'automobile 3 • car 3

la meccanica • mechanics

il serbatoio del
liquido lavavetri
screen wash reservoir

l'indicatore di
livello dell'olio
dipstick

il filtro
dell'aria
air filter

il serbatoio del
liquido per i freni
brake fluid reservoir

la batteria
battery

la
carrozzeria
bodywork

il serbatoio per il
liquido refrigerante
coolant reservoir

la testa
del cilindro
cylinder head

il tubo
pipe

il tettuccio
sunroof

il radiatore
radiator

il ventilatore
fan

il motore
engine

il coprimozzo
hubcap

la scatola
del cambio
gearbox

la trasmissione
transmission

l'albero di
trasmissione
driveshaft

la foratura • puncture

la ruota di scorta
spare tyre

la chiave
wrench

i bulloni della ruota
wheel nuts

il cric
jack

cambiare una ruota
change a wheel (v)

il tetto
roof

la sospensione
suspension

il silenziatore
silencer

il tubo di scappamento
exhaust pipe

vocabolario • vocabulary

l'incidente stradale
car accident

il turbocompressore
turbocharger

la panne
breakdown

il distributore
distributor

l'assicurazione
insurance

la messa in fase
timing

il carro attrezzi
tow truck

il telaio
chassis

il meccanico
mechanic

il freno a mano
handbrake

la candela
spark plug

l'alternatore
alternator

la scatola dei fusibili
fuse box

la cinghia della camma
cam belt

la pressione dei pneumatici
tyre pressure

Sono in panne.
I've broken down.

la cinghia della ventola
fan belt

La mia macchina non parte.
My car won't start.

il serbatoio della benzina
petrol tank

la motocicletta • motorbike

il casco
helmet

la freccia
indicator

il contachilometri
speedometer

la frizione
clutch

il freno
brake

il clacson
horn

l'acceleratore
throttle

il portapacchi
carrier

i comandi
controls

il sellino posteriore
pillion

il sedile
seat

il motore
engine

il serbatoio
fuel tank

il riflettore
reflector

il fanale posteriore
tail light

il tubo di
scappamento
exhaust pipe

il silenziatore
silencer

il serbatoio dell'olio
oil tank

la scatola del cambio
gearbox

il filtro dell'aria
air filter

i tipi • types

la visiera
visor

la tuta di pelle
leathers

la fascia
rifrangente
reflector strap

il paraginocchio
knee pad

l'abbigliamento | clothing

il proiettore
headlight

l'ammortizzatore
suspension

il parafango
mudguard

il pedale del freno
brake pedal

l'asse
axle

il pneumatico
tyre

la moto da corsa | racing bike

il parabrezza
windshield

la moto da turismo | tourer

la moto da cross | dirt bike

il cavalletto
stand

la vespa | scooter

la bicicletta • bicycle

il tandem
tandem

la bicicletta da corsa
racing bike

la mountain bike
mountain bike

il sellino
saddle

il tubo reggisella
seat post

la borraccia
water bottle

il telaio
frame

il freno
brake

il mozzo
hub

le marce
gears

il cerchione
rim

il pneumatico
tyre

la catena
chain

il pedale
pedal

**la ruota
dentata**
cog

le casque
helmet

**la bicicletta da
turismo**
touring bike

la bicicletta da strada
road bike

la pista ciclabile | cycle lane

la canna
crossbar

il manubrio
handlebar

la leva del cambio
gear lever

la leva per il pneumatico
tyre lever

la toppa
patch

la leva del freno
brake lever

il kit per riparazioni | repair kit

la forcella
fork

la chiave
key

il raggio
spoke

la pompa
pump

il lucchetto
lock

la ruota
wheel

la valvola
valve

il battistrada
tread

la camera d'aria
inner tube

il seggiolino per bambino
child seat

vocabolario • vocabulary

il dente sprocket	**il cavalletto** kickstand	**il blocca freni** brake block	**il cestello** basket	**il fermapiedi** toe clip	**cambiare marcia** change gear (v)
il fanale lamp	**le rotelle** stabilisers	**il cavo** cable	**la dinamo** dynamo	**il cinghietto** toe strap	**frenare** brake (v)
il fanale posteriore rear light	**il posteggio per bici** bike rack	**il catarifrangente** reflector	**la foratura** puncture	**pedalare** pedal (v)	**andare in bici** cycle (v)

il treno • train

il vagone
carriage

il numero del
binario
platform number

il binario
platform

il pendolare
commuter

il carrello
trolley

la stazione ferroviaria | train station

i tipi di treno • types of train

la cabina del
conducente
driver's cab

la locomotiva
engine

la rotaia
rail

il treno a vapore
steam train

il treno diesel | diesel train

il treno elettrico
electric train

il treno ad alta velocità
high-speed train

la monorotaia
monorail

la metropolitana
underground train

il tram
tram

il treno merci
freight train

il portabagagli
luggage rack

il finestrino
window

la porta
door

il binario
track

il sedile
seat

la barriera
ticket barrier

lo scompartimento
compartment

il biglietto
ticket

il sistema di altoparlanti
public address system

l'orario
timetable

il vagone ristorante | dining car

l'atrio | concourse

lo scompartimento a cuccette
sleeping compartment

---

vocabolario • vocabulary

la rete ferroviaria rail network	**il ritardo** delay	**la biglietteria** ticket office	**il binario elettrificato** live rail
il treno intercity inter-city train	**la tariffa** fare	**il controllore** ticket inspector	**il segnale** signal
l'ora di punta rush hour	**la mappa della metropolitana** underground map	**cambiare** change (v)	**la leva di emergenza** emergency lever

---

l'aeroplano • aircraft

l'aereo di linea • airliner

il muso
nose

la cabina di pilotaggio
cockpit

il motore
engine

la fusoliera
fuselage

l'ala
wing

la coda
tail

il timone
rudder

l'uscita
exit

la ruota anteriore
nosewheel

il carrello d'atterraggio
landing gear

l'alettone
aileron

l'aletta
fin

lo stabilizzatore
tailplane

la cabina • cabin

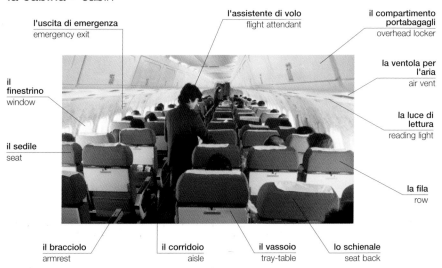

l'uscita di emergenza
emergency exit

l'assistente di volo
flight attendant

il compartimento portabagagli
overhead locker

il finestrino
window

la ventola per l'aria
air vent

la luce di lettura
reading light

il sedile
seat

la fila
row

il bracciolo
armrest

il corridoio
aisle

il vassoio
tray-table

lo schienale
seat back

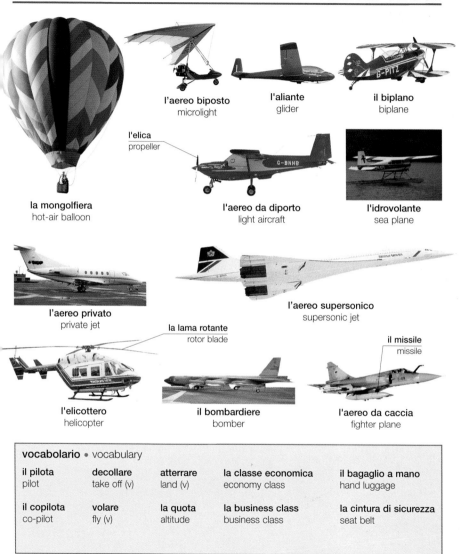

l'aereo biposto
microlight

l'aliante
glider

il biplano
biplane

l'elica
propeller

la mongolfiera
hot-air balloon

l'aereo da diporto
light aircraft

l'idrovolante
sea plane

l'aereo privato
private jet

l'aereo supersonico
supersonic jet

la lama rotante
rotor blade

il missile
missile

l'elicottero
helicopter

il bombardiere
bomber

l'aereo da caccia
fighter plane

vocabolario • vocabulary

il pilota pilot	**decollare** take off (v)	**atterrare** land (v)	**la classe economica** economy class	**il bagaglio a mano** hand luggage
il copilota co-pilot	**volare** fly (v)	**la quota** altitude	**la business class** business class	**la cintura di sicurezza** seat belt

l'aeroporto • airport

l'area di stazionamento
apron

il carrello portabagagli
baggage trailer

il terminale
terminal

il veicolo di servizio
service vehicle

il passaggio pedonale
walkway

l'aereo di linea | airliner

---

vocabolario • vocabulary

la pista runway	**il numero del volo** flight number	**il nastro trasportatore** carousel	**la vacanza** holiday
la coincidenza connection	**il controllo passaporti** immigration	**la sicurezza** security	**prenotare un volo** book a flight (v)
il volo nazionale domestic flight	**la dogana** customs	**l'apparecchio a raggi x** X-ray machine	**fare il check-in** check in (v)
il volo internazionale international flight	**il bagaglio in eccedenza** excess baggage	**l'opuscolo vacanze** holiday brochure	**la torre di controllo** control tower

il bagaglio
a mano
hand luggage

il bagaglio
luggage

il carrello
trolley

il banco accettazione
check-in desk

il visto
visa

il passaporto | passport

il controllo passaporti
passport control

la carta
d'imbarco
boarding pass

il biglietto
ticket

il numero
dell'uscita
gate number

le partenze
departures

la sala delle partenze
departure lounge

la
destinazione
destination

gli arrivi
arrivals

il pannello degli orari
information screen

il negozio duty free
duty-free shop

il ricupero bagagli
baggage reclaim

il posteggio dei taxi
taxi rank

l'autonoleggio
car hire

la nave • ship

l'antenna della radio
radio antenna

il ponte
deck

il fumaiolo
funnel

il casseretto
quarterdeck

il radar
radar

la prua
prow

la marca di
bordo libero
Plimsoll line

l'oblò
porthole

lo scafo
hull

la lancia di
salvataggio
lifeboat

la chiglia
keel

l'elica
propeller

la nave da crociera
ocean liner

il ponte di comando
bridge

la sala macchine
engine room

la cabina
cabin

la cucina di bordo
galley

vocabolario • vocabulary

il bacino
dock

il porto
port

la passerella
gangway

l'ancora
anchor

la colonna
d'ormeggio
bollard

il mulinello
windlass

il capitano
captain

il motoscafo
speedboat

la barca a remi
rowing boat

la canoa
canoe

altre imbarcazioni • other ships

il traghetto
ferry

il motore fuoribordo
outboard motor

il gommone
inflatable dinghy

l'aliscafo
hydrofoil

lo yacht
yacht

il catamarano
catamaran

il rimorchiatore
tug boat

l'hovercraft
hovercraft

la nave porta container
container ship

il sartiame
rigging

la stiva
hold

la barca a vela
sailboat

la nave da trasporto
freighter

la petroliera
oil tanker

la portaerei
aircraft carrier

la nave da guerra
battleship

la torretta di
comando
conning tower

il sottomarino
submarine

il porto • port

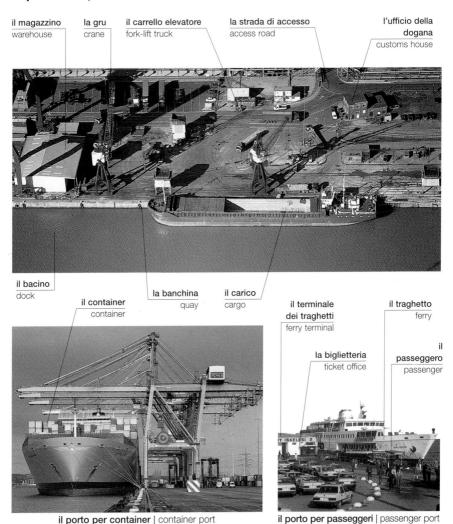

il magazzino
warehouse

la gru
crane

il carrello elevatore
fork-lift truck

la strada di accesso
access road

l'ufficio della dogana
customs house

il bacino
dock

la banchina
quay

il carico
cargo

il container
container

il porto per container | container port

il terminale dei traghetti
ferry terminal

il traghetto
ferry

la biglietteria
ticket office

il passeggero
passenger

il porto per passeggeri | passenger port

la rete
net

la barca da pesca
fishing boat

l'ormeggio
mooring

il porto da pesca
fishing port

il porto turistico
marina

il porto
harbour

il pontile
pier

il molo
jetty

il cantiere navale
shipyard

la luce
lamp

il faro
lighthouse

la boa
buoy

vocabolario • vocabulary

il guardacoste coastguard	**mollare l'ancora** drop anchor (v)	**imbarcare** board (v)
il capitano di porto harbour master	**ormeggiare** moor (v)	**sbarcare** disembark (v)
il bacino di carenaggio dry dock	**entrare in bacino** dock (v)	**salpare** set sail (v)

gli **sport**
sports

il football americano • American football

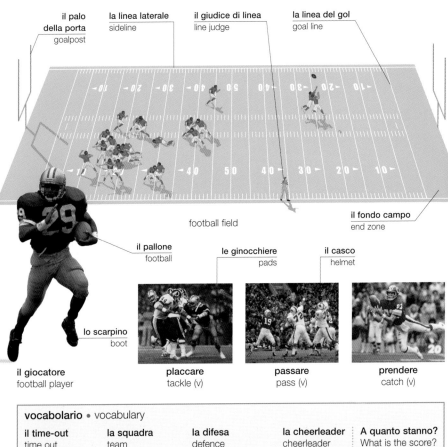

il palo della porta
goalpost

la linea laterale
sideline

il giudice di linea
line judge

la linea del gol
goal line

football field

il fondo campo
end zone

il pallone
football

le ginocchiere
pads

il casco
helmet

lo scarpino
boot

il giocatore
football player

placcare
tackle (v)

passare
pass (v)

prendere
catch (v)

vocabolario • vocabulary

il time-out time out	**la squadra** team	**la difesa** defence	**la cheerleader** cheerleader	**A quanto stanno?** What is the score?
il fumble fumble	**l'attacco** attack	**il punteggio** score	**il touch-down** touchdown	**Chi vince?** Who is winning?

il rugby • rugby

la porta
goal

l'area della porta
in-goal area

la linea di touch
touch line

la bandierina
flag

la linea di
palla morta
dead ball line

il campo | rugby pitch

il pallone
ball

tirare
throw (v)

la camicetta
da rugby
rugby strip

calciare
kick (v)

passare
pass (v)

placcare
tackle (v)

la meta
try

il giocatore
player

il ruck | ruck

la mischia | scrum

il calcio • soccer

il pallone
football

l'attaccante
forward

l'arbitro
referee

il centro campo
centre circle

il portiere
goalkeeper

la divisa
football strip

il calciatore
footballer

il campo di calcio
football pitch

il palo
goalpost

la rete
net

la traversa
crossbar

palleggiare | dribble (v)

colpire di testa
head (v)

il muro
wall

il gol | goal

il calcio di punizione | free kick

italiano • english

l'area di rigore
penalty area

la linea di fondo
goal line

l'area di porta
goal area

la porta
goal

il difensore
defender

il guardialinee
linesman

la bandierina
corner flag

la rimessa in gioco
throw-in

calciare
kick (v)

lo scarpino
boot

passare
pass (v)

tirare | shoot (v)

parare
save (v)

contrastare
tackle (v)

vocabolario • vocabulary

lo stadio stadium	**il fallo** foul	**il cartellino giallo** yellow card	**il campionato** league	**il sostituto** substitute
segnare score a goal (v)	**il calcio d'angolo** corner	**il fuorigioco** off-side	**il pareggio** draw	**la sostituzione** substitution
il rigore penalty	**il cartellino rosso** red card	**l'espulsione** send off	**l'intervallo** half time	**il tempo supplementare** extra time

l'hockey • hockey

l'hockey su ghiaccio • ice hockey

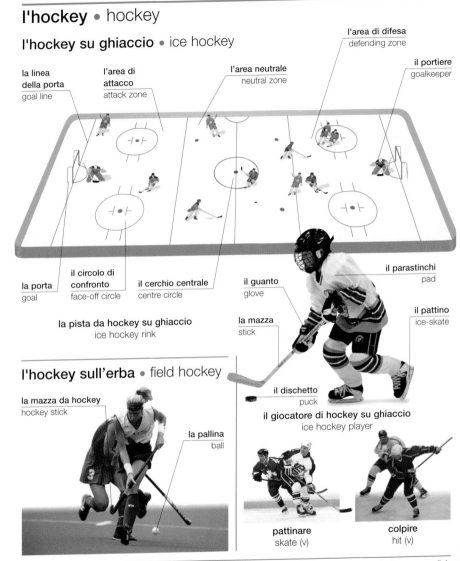

l'area di difesa
defending zone

la linea della porta
goal line

l'area di attacco
attack zone

l'area neutrale
neutral zone

il portiere
goalkeeper

la porta
goal

il circolo di confronto
face-off circle

il cerchio centrale
centre circle

la pista da hockey su ghiaccio
ice hockey rink

il parastinchi
pad

il guanto
glove

il pattino
ice-skate

la mazza
stick

il dischetto
puck

il giocatore di hockey su ghiaccio
ice hockey player

l'hockey sull'erba • field hockey

la mazza da hockey
hockey stick

la pallina
ball

pattinare
skate (v)

colpire
hit (v)

il cricket • cricket

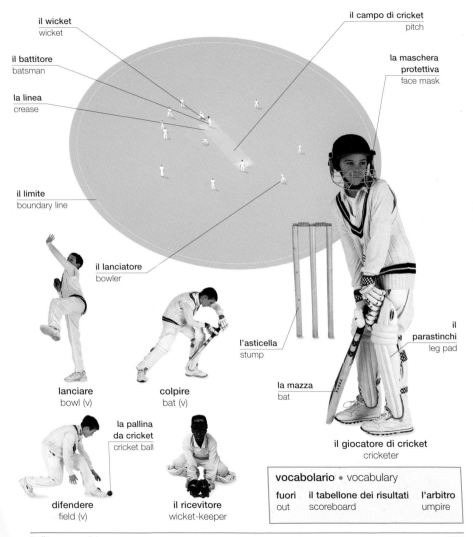

il wicket
wicket

il campo di cricket
pitch

il battitore
batsman

**la maschera
protettiva**
face mask

la linea
crease

il limite
boundary line

il lanciatore
bowler

l'asticella
stump

**il
parastinchi**
leg pad

la mazza
bat

lanciare
bowl (v)

colpire
bat (v)

il giocatore di cricket
cricketer

**la pallina
da cricket**
cricket ball

difendere
field (v)

il ricevitore
wicket-keeper

vocabolario • vocabulary		
fuori	**il tabellone dei risultati**	**l'arbitro**
out	scoreboard	umpire

la pallacanestro • basketball

la linea laterale
sideline

l'arbitro
referee

il dischetto
centre circle

la linea di tiro libero
free-throw line

la linea di fondo
endline

il campo
court

la linea di centro
centreline

la linea dei tre punti
three-point line

il numero
number

il tabellone
backboard

l'anello
hoop

il pallone
ball

la rete
net

il canestro
basket

il giocatore di pallacanestro | basketball player

vocabolario • vocabulary	
il fallo foul	la rimessa throw-in
il rimbalzo rebound	fuori campo out of bounds
il passaggio pass	il tiro in sospensione jump ball

italiano • english

226

le azioni • actions

tirare
throw (v)

acchiappare
catch (v)

tirare
shoot (v)

saltare
jump (v)

marcare
mark (v)

bloccare
block (v)

rimbalzare
bounce (v)

segnare
dunk (v)

la pallavolo • volleyball

contrastare
block (v)

la rete
net

difendere
dig (v)

l'arbitro
referee

la ginocchiera
knee support

il campo | court

il baseball • baseball

il campo • field

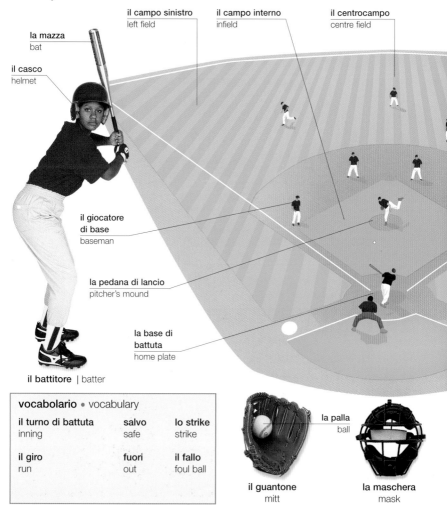

il campo sinistro
left field

il campo interno
infield

il centrocampo
centre field

la mazza
bat

il casco
helmet

**il giocatore
di base**
baseman

la pedana di lancio
pitcher's mound

**la base di
battuta**
home plate

il battitore | batter

---

vocabolario • vocabulary

il turno di battuta inning	**salvo** safe	**lo strike** strike
il giro run	**fuori** out	**il fallo** foul ball

la palla
ball

il guantone
mitt

la maschera
mask

le azioni • actions

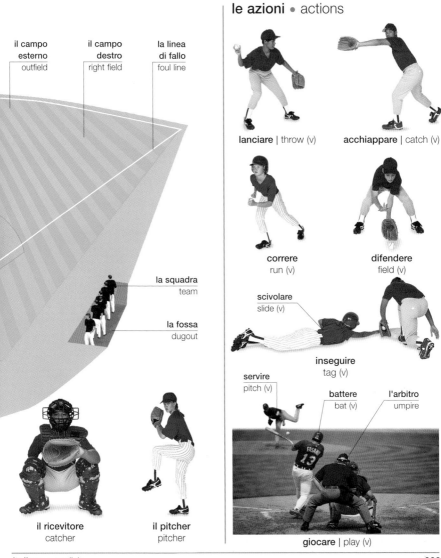

il campo esterno
outfield

il campo destro
right field

la linea di fallo
foul line

la squadra
team

la fossa
dugout

lanciare | throw (v)

acchiappare | catch (v)

correre
run (v)

difendere
field (v)

scivolare
slide (v)

inseguire
tag (v)

servire
pitch (v)

battere
bat (v)

l'arbitro
umpire

il ricevitore
catcher

il pitcher
pitcher

giocare | play (v)

il tennis • tennis

l'impugnatura
handle

la testa
head

la corda
string

l'arbitro
umpire

la linea di fondo
baseline

la racchetta
racquet

la linea di servizio
service line

la linea laterale
sideline

la palla
ball

il polsino
wristband

il campo | tennis court

---

vocabolario • vocabulary

il singolare singles	**il set** set	**il deuce** deuce	**il fallo** fault	**il taglio** slice	**l'avvitamento** spin
il doppio doubles	**la partita** match	**il vantaggio** advantage	**l'asso** ace	**il palleggio** rally	**il campionato** championship
il gioco game	**il tiebreak** tiebreak	**a zero** love	**la smorzata** dropshot	**colpo nullo!** let!	**il giudice di linea** linesman

---

i colpi • strokes

la rete
net

la schiacciata
smash

il raccattapalle
ballboy

battere il servizio
serve (v)

le scarpe da tennis
tennis shoes

il giocatore
player

il servizio
serve

il palleggio
volley

il ritorno
return

la schiacciata
lob

il dritto
forehand

il rovescio
backhand

i giochi con la racchetta • racquet games

il volano
shuttlecock

la racchetta
bat

il badminton
badminton

il ping pong
table tennis

lo squash
squash

il racquetball
racquetball

il golf • golf

il green
green

il bunker
bunker

la
bandierina
flag

il teeing-ground
teeing ground

la buca
hole

fare lo swing
swing (v)

il fairway
fairway

il rough
rough

lo stagno
water hazard

il campo di golf
golf course

il buggy
buggy

la posizione
stance

il golfista | golfer

la sede del circolo | clubhouse

le attrezzature • equipment

la pallina da golf
golf ball

l'ombrello
umbrella

la sacca da golf
golf bag

il tee
tee

i chiodi
spikes

il guanto
glove

il carrellino
golf trolley

la scarpa da golf
golf shoe

le mazze da golf • golf clubs

la mazza di legno
wood

il putter
putter

la mazza di ferro
iron

la mazza ricurva
wedge

le azioni • actions

cominciare la
partita
tee-off (v)

colpire a
distanza
drive (v)

colpire
leggermente
putt (v)

colpire da
vicino
chip (v)

vocabolario • vocabulary

il par par	l'overpar over par	l'handicap handicap	il caddy caddy	il colpo stroke	il back-swing backswing
l'underpar under par	la buca in uno hole in one	il torneo tournament	gli spettatori spectators	lo swing di pratica practice swing	la linea di gioco line of play

l'atletica • athletics

la corsia
lane

la pista
track

il traguardo
finishing line

la linea di partenza
starting line

il campo
field

l'atleta
athlete

la pedana
di partenza
starting
blocks

il velocista
sprinter

il lancio del disco
discus

il lancio del peso
shotput

il lancio del giavellotto
javelin

vocabolario • vocabulary

la gara race	il primato record	il fotofinish photo finish	il salto con l'asta pole vault
il tempo time	battere un primato break a record (v)	la maratona marathon	il primato personale personal best

il cronometro
stopwatch

il testimone
baton

la staffetta
relay race

la sbarra
crossbar

il salto in alto
high jump

il salto in lungo
long jump

la corsa a ostacoli
hurdles

la ginnastica • gymnastics

la pedana elastica
springboard

il cavallo
horse

la capriola
somersault

la pedana
mat

il salto
vault

la ginnastica a corpo libero
floor exercises

la ginnasta
gymnast

la trave
beam

il nastro
ribbon

la ruota
tumble

la ginnastica ritmica
rhythmic gymnastics

---

vocabolario • vocabulary

la sbarra horizontal bar	**le sbarre asimmetriche** asymmetric bars	**gli anelli** rings	**le medaglie** medals	**l'argento** silver
le parallele parallel bars	**il cavallo** pommel horse	**il podio** podium	**l'oro** gold	**il bronzo** bronze

---

gli sport da combattimento • combat sports

l'avversario
opponent

il casco
guard

il karate
karate

la cintura
belt

il guanto
glove

il tae kwondo
tae-kwon-do

il judo
judo

la maschera
mask

la
sciabola
sword

l'aikido
aikido

il kendo
kendo

il kung fu
kung fu

il kickboxing
kickboxing

la lotta greco-romana
wrestling

il pugilato
boxing

le mosse • actions

la scivolata
fall

la presa
hold

la proiezione
throw

la caduta
pin

il calcio
kick

il pugno
punch

il colpo
strike

il salto
jump

la parata
block

il colpo di taglio
chop

---

vocabolario • vocabulary

il ring boxing ring	**il round** round	**il pugno** fist	**la cintura nera** black belt	**la capoeira** capoeira
i guanti boxing gloves	**l'incontro** bout	**il k.o** knock out	**l'autodifesa** self defence	**il sumo** sumo wrestling
il paradenti mouth guard	**l'allenamento** sparring	**il sacco** punch bag	**le arti marziali** martial arts	**il tai-chi** tai-chi

---

italiano • english

il nuoto • swimming
l'attrezzatura • equipment

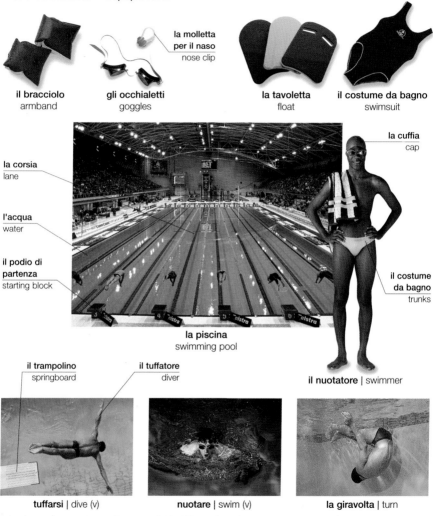

la molletta per il naso
nose clip

il bracciolo
armband

gli occhialetti
goggles

la tavoletta
float

il costume da bagno
swimsuit

la cuffia
cap

la corsia
lane

l'acqua
water

il podio di partenza
starting block

il costume da bagno
trunks

la piscina
swimming pool

il nuotatore | swimmer

il trampolino
springboard

il tuffatore
diver

tuffarsi | dive (v)

nuotare | swim (v)

la giravolta | turn

gli stili • styles

lo stile libero
front crawl

la rana
breaststroke

la bracciata
stroke

il dorso | backstroke

la gambata
kick

la farfalla | butterfly

il nuoto subacqueo • scuba diving

la bombola
air cylinder

la tuta subacquea
wetsuit

il boccaglio
snorkel

la maschera
mask

la pinna
flipper

la cintura dei pesi
weight belt

il regolatore
regulator

---

vocabolario • vocabulary

il tuffo dive	**il tuffo alto** high dive	**gli armadietti** lockers	**la pallanuoto** water polo	**la parte bassa** shallow end	**il crampo** cramp
il tuffo di rincorsa racing dive	**tenersi a galla** tread water (v)	**il bagnino** lifeguard	**la parte profonda** deep end	**il nuoto sincronizzato** synchronized swimming	**annegare** drown (v)

la vela • sailing

la bussola
compass

l'ancora
anchor

l'albero
mast

il sartiame
rigging

la vela di maestra
mainsail

la vela di prua
headsail

la
galloccia
cleat

il ponte laterale
sidedeck

la prua
bow

il boma
boom

la
poppa
stern

la barra
tiller

lo scafo
hull

navigare | navigate (v)

lo yacht | yacht

la sicurezza • safety

il razzo illuminante
flare

il salvagente
lifebuoy

**il giubbotto di
salvataggio**
life jacket

la zattera di salvataggio
life raft

gli sport acquatici • watersports

il rematore
rower

il remo
oar

remare | row (v)

il kayak
kayak

la pagaia
paddle

il canottaggio
canoeing

la vela
sail

il surf
surfboard

lo sci
ski

il windsurf
windsurfer

la tavola
board

la presa
per il piede
footstrap

il surfing
surfing

lo sci d'acqua
waterskiing

la corsa in motoscafo
speed boating

il windsurfing | windsurfing

rafting
rafting

l'acquascooter
jet skiing

vocabolario • vocabulary

il surfista surfer	l'equipaggio crew	il vento wind	le rapide rapids	la scotta sheet	bordeggiare tack (v)
lo sciatore d'acqua waterskier	il centro della tavola centreboard	l'onda wave	la cresta dell'onda surf	il timone rudder	capovolgersi capsize (v)

l'equitazione • horse riding

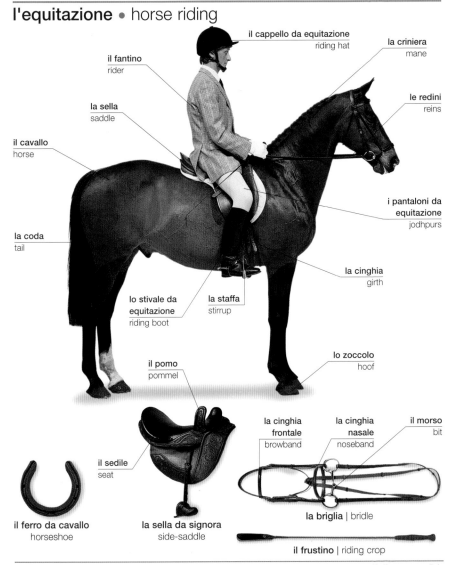

il cappello da equitazione
riding hat

la criniera
mane

il fantino
rider

la sella
saddle

le redini
reins

il cavallo
horse

i pantaloni da
equitazione
jodhpurs

la coda
tail

la cinghia
girth

lo stivale da
equitazione
riding boot

la staffa
stirrup

il pomo
pommel

lo zoccolo
hoof

il sedile
seat

la cinghia
frontale
browband

la cinghia
nasale
noseband

il morso
bit

la briglia | bridle

il ferro da cavallo
horseshoe

la sella da signora
side-saddle

il frustino | riding crop

le corse • events

il cavallo da corsa
racehorse

l'ostacolo
fence

la corsa di cavalli
horse race

la corsa a ostacoli
steeplechase

la corsa di calessi
harness race

il rodeo
rodeo

il concorso di salto a ostacoli
showjumping

la corsa di carrozze
carriage race

l'escursione a cavallo
trekking

il dressage
dressage

il polo
polo

---

vocabolario • vocabulary

il passo walk	**il galoppo** gallop	**il salto** jump	**la cavezza** halter	**il recinto** paddock	**l'ippodromo** racecourse
il trotto trot	**il piccolo galoppo** canter	**il palafreniere** groom	**la stalla** stable	**l'arena** arena	**la corsa in piano** flat race

---

la pesca • fishing

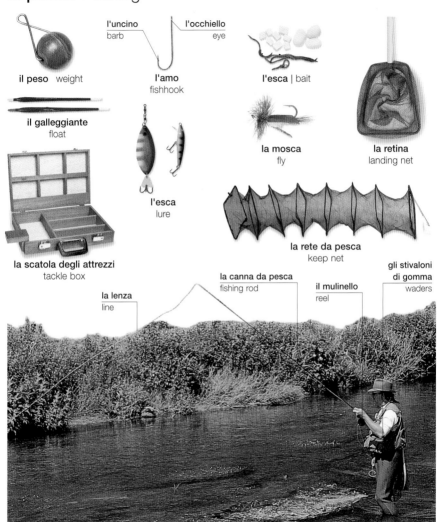

il peso weight

l'uncino
barb

l'occhiello
eye

l'amo
fishhook

l'esca | bait

la retina
landing net

il galleggiante
float

l'esca
lure

la mosca
fly

la rete da pesca
keep net

la scatola degli attrezzi
tackle box

gli stivaloni
di gomma
waders

la canna da pesca
fishing rod

il mulinello
reel

la lenza
line

il pescatore | angler

i tipi di pesca • types of fishing

la pesca in acqua dolce
freshwater fishing

la pesca con la mosca
fly fishing

la pesca sportiva
sport fishing

la pesca in alto mare
deep sea fishing

la pesca dalla riva
surfcasting

le attività • activities

lanciare
cast (v)

prendere
catch (v)

tirare con il mulinello
reel in (v)

pescare con la rete
net (v)

rilasciare
release (v)

---

vocabolario • vocabulary

fornire di esca bait (v)	**l'attrezzatura** tackle	**l'impermeabile** waterproofs	**la licenza di pesca** fishing permit	**la nassa** creel
abboccare bite (v)	**la bobina** spool	**il palo** pole	**la pesca in mare** marine fishing	**la pesca con la fiocina** spearfishing

---

italiano • english

lo sci • skiing

la pista da sci
ski slope

la seggiovia
chairlift

la funivia
cable car

la tuta da sci
ski suit

il bastone
da sci
ski pole

il guanto
glove

la pista da sci
ski run

la transenna di
sicurezza
safety barrier

lo scarpone da sci
ski boot

lo sci
ski

la lama
edge

la sciatrice
skier

la punta
tip

le gare • events

la discesa
downhill skiing

la porta
gate

lo slalom
slalom

il salto
ski jump

lo sci di fondo
cross-country skiing

gli sport invernali • winter sports

**l'arrampicata
su ghiaccio**
ice climbing

**il pattinaggio
su ghiaccio**
ice-skating

gli occhiali
goggles

il pattino
skate

**il pattinaggio
artistico**
figure skating

lo snowboard
snowboarding

il bob
bobsleigh

lo slittino
luge

la motoslitta
snowmobile

la corsa su slitta
sledding

vocabolario • vocabulary	
la valanga avalanche	**fuoripista** off-piste
lo sci alpino alpine skiing	**il curling** curling
lo slalom gigante giant slalom	**il biathlon** biathlon
la corsa su slitta trainata da cani dog sledding	**il pattinaggio di velocità** speed skating

gli altri sport • other sports

l'aliante
glider

il deltaplano
hang-glider

il volo senza motore
gliding

il paracadute
parachute

il volo in deltaplano
hang-gliding

la corda
rope

l'alpinismo in parete
rock climbing

il paracadutismo
parachuting

il parapendio
paragliding

il paracadutismo libero
skydiving

la cordata
abseiling

il bungee jumping
bungee jumping

il pilota
da corsa
racing driver

il rally
rally driving

l'automobilismo
motor racing

il motocross
motorcross

il motociclismo
motorbike racing

la tavola da
skateboard
skateboard

il pattino
a rotelle
rollerskate

la mazza
stick

la
maschera
mask

il
fioretto
foil

lo skate board
skateboarding

il pattinaggio a rotelle
roller skating

il lacrosse
lacrosse

la scherma
fencing

il birillo
pin

l'arco
bow

il bersaglio
target

la freccia
arrow

la faretra
quiver

il tiro con l'arco
archery

il tiro al bersaglio
target shooting

la palla da
bowling
bowling ball

il bowling
bowling

il biliardo
pool

lo snooker
snooker

il fitness • fitness

la cyclette
exercise bike

la macchina per esercizi
gym machine

la panca
bench

i manubri
free weights

la sbarra
bar

la palestra
gym

il vogatore
rowing machine

il treadmill
treadmill

il cross trainer
cross trainer

l'istruttore individuale
personal trainer

la macchina per step
step machine

la piscina
swimming pool

la sauna
sauna

gli esercizi • exercises

lo stretching
stretch

lo stiramento
lunge

il collant
tights

le flessioni
press-up

lo squat
squat

gli addominali
sit-up

il manubrio
dumb bell

le alzate con il manubrio
bicep curl

la pressa per le gambe
leg press

gli
scarponcini
trainers

il
bilanciere
weight bar

la
maglietta
vest

la pressa per pettorali
chest press

l'addestramento ai pesi
weight training

il footing
jogging

la ginnastica aerobica
aerobics

vocabolario • vocabulary

allenarsi train (v)	**correre sul posto** jog on the spot (v)	**stendere** extend (v)	**il pilates** Pilates	**l'allemanento a circuito** circuit training
riscaldarsi warm up (v)	**flettere** flex (v)	**sollevare** pull up (v)	**la ginnastica prepugilistica** boxercise	**saltare con la corda** skipping

il tempo libero
leisure

il teatro • theatre

il sipario
curtain

le quinte
wings

la scenografia
set

il pubblico
audience

l'orchestra
orchestra

il palcoscenico | stage

la poltrona
seat

la seconda galleria
upper circle

la fila
row

il palco
box

la
galleria
circle

la
balconata
balcony

il
corridoio
aisle

le poltrone
di platea
stalls

le poltrone | seating

---

vocabolario • vocabulary

l'attrice actress	**il regista** director	**la prima** first night
il cast cast	**il produttore** producer	**l'intervallo** interval
l'attore actor	**il copione** script	**il programma** programme
l'opera teatrale play	**il fondale** backdrop	**il golfo mistico** orchestra pit

il concerto
concert

il musical
musical

il costume
costume

il balletto
ballet

vocabolario • vocabulary

la maschera	**la colonna sonora**	**Vorrei due biglietti per lo spettacolo di stasera.**
usher	soundtrack	I'd like two tickets for tonight's performance.
la musica classica	**applaudire**	
classical music	applaud (v)	**A che ora inizia?**
la partitura musicale	**il bis**	What time does it start?
musical score	encore	

l'opera
opera

il cinema • cinema

il popcorn
popcorn

la biglietteria
box office

l'atrio
lobby

il poster
poster

il cinema
cinema hall

lo schermo
screen

vocabolario • vocabulary

la commedia	**il film d'amore**
comedy	romance
il thriller	**il film di fantascienza**
thriller	science fiction film
il film di orrore	**il film di avventura**
horror film	adventure
il western	**il film di animazione**
western	animated film

l'orchestra • orchestra

le corde • strings

l'arpa
harp

il direttore di orchestra
conductor

il contrabbasso
double bass

il violino
violin

il podio
podium

la viola
viola

il violoncello
cello

lo spartito
score

la chiave di sol
treble clef

la nota
note

il pentagramma
staff

la chiave di basso
bass clef

il pianoforte | piano

l'annotazione | notation

---

vocabolario • vocabulary

l'ouverture overture	**la sonata** sonata	**la pausa** rest	**il diesis** sharp	**naturale** natural	**la scala** scale
la sinfonia symphony	**gli strumenti** instruments	**il tono** pitch	**il bemolle** flat	**la battuta** bar	**la bacchetta** baton

---

gli strumenti a fiato • woodwind

il piffero
piccolo

il flauto
flute

l'oboe
oboe

il corno inglese
cor anglais

il sassofono
saxophone

il clarinetto
clarinet

il clarinetto basso
bass clarinet

il fagotto
bassoon

il controfagotto
double bassoon

la percussione • percussion

il timpano
kettledrum

il gong
gong

i bongo
bongos

il tamburo militare
snare drum

i cembali
cymbals

il tamburino
tambourine

il vibrafono
vibraphone

il triangolo
triangle

i maracas
maracas

gli ottoni • brass

la tromba
trumpet

il trombone
trombone

il corno
French horn

la tuba
tuba

il concerto • concert

il cantante
lead singer

il microfono
microphone

il batterista
drummer

il chitarrista
guitarist

i fans
fans

il bassista
bass guitarist

l'altoparlante
speaker

il concerto rock | rock concert

gli strumenti • instruments

il riproduttore
acustico
pickup

il manico
neck

il pirolo
tuning peg

il tasto
fret

la corda
string

il ponte
bridge

il tamburo
drum

il basso
bass guitar

la tastiera
keyboard

la chitarra elettrica
electric guitar

la batteria
drum kit

gli stili musicali • musical styles

il jazz
jazz

il blues
blues

il punk
punk

la musica folk
folk music

il pop
pop

la musica da ballo
dance

il rap
rap

l'heavy metal
heavy metal

la musica classica
classical music

---

vocabolario • vocabulary

la canzone	**il testo**	**la melodia**	**il ritmo**	**il reggae**	**il country**	**il proiettore**
song	lyrics	melody	beat	reggae	country	spotlight

il turismo • sightseeing

il turista
tourist

il luogo d'interesse turistico | tourist attraction

l'itinerario
itinerary

scoperto
open-top

il pullman turistico | tour bus

la guida
turistica
tour guide

la visita guidata
guided tour

la statuina
statuette

i ricordi
souvenirs

---

vocabolario • vocabulary

aperto open	**la guida** guide book	**le indicazioni** directions	**a sinistra** left	**Dov'è...?** Where is...?
chiuso closed	**la pellicola** film	**la videocamera** camcorder	**a destra** right	**Mi sono perso.** I'm lost.
la tariffa d'ingresso entrance fee	**le batterie** batteries	**la macchina fotografica** camera	**dritto** straight on	**Mi può dire come si arriva a...?** Can you tell me the way to....?

---

i luoghi d'interesse • attractions

il quadro
painting

l'oggetto
exhibit

l'esposizione
exhibition

la rovina famosa
famous ruin

la galleria d'arte
art gallery

il monumento
monument

il museo
museum

l'edificio storico
historic building

il casinò
casino

i giardini
gardens

il parco nazionale
national park

l'informazione • information

gli orari
times

la pianta del piano
floor plan

la mappa
map

l'orario
timetable

l'ufficio informazioni turistiche
tourist information

italiano • english

le attività all'aria aperta • outdoor activities

il sentiero
footpath

la meridiana
sundial

il caffè
café

il parco | park

il prato
grass

la panchina
bench

il giardino
all'italiana
formal gardens

le montagne russe
roller coaster

il luna park
fairground

il parco a tema
theme park

lo zoosafari
safari park

lo zoo
zoo

le attività • activities

il ciclismo
cycling

il footing
jogging

lo skateboard
skateboarding

il pattinaggio
rollerblading

il sentiero per cavalli
bridle path

la cesta
hamper

l'ornitologia
bird watching

l'equitazione
horse riding

l'escursionismo
hiking

il picnic
picnic

il parco giochi • playground

la fossa di sabbia
sandpit

la piscina gonfiabile
paddling pool

l'altalena
swings

il bilanciere | seesaw

lo scivolo
slide

la struttura per arrampicarsi
climbing frame

la spiaggia • beach

l'albergo
hotel

l'ombrellone
beach umbrella

la cabina
beach hut

la sabbia
sand

l'onda
wave

il mare
sea

la borsa
da spiaggia
beach bag

il bikini
bikini

prendere il sole | sunbathe (v)

la torre di sorveglianza
lifeguard tower

il bagnino
lifeguard

il paravento
windbreak

il lungomare
promenade

la sedia a sdraio
deck chair

gli occhiali da sole
sunglasses

il cappello da spiaggia
sunhat

la crema abbronzante
suntan lotion

la crema protettiva
sunblock

il pallone da spiaggia
beach ball

la ciambella
rubber ring

l'asciugamano da spiaggia
beach towel

il costume da bagno
swimsuit

la paletta
spade

il secchiello
bucket

il castello di sabbia
sandcastle

la conchiglia
shell

il campeggio • camping

i bagni
toilets

i rifiuti
waste disposal

le docce
shower block

la presa di corrente
electric hook-up

il telo protettivo
flysheet

il piolo
tent peg

la corda
guy rope

la roulotte
caravan

il campeggio
campsite

---

vocabolario • vocabulary

campeggiare camp (v)	**il posteggio** pitch	**la tavola da picnic** picnic bench	**la carbonella** charcoal
l'ufficio del direttore site manager's office	**piantare una tenda** pitch a tent (v)	**l'amaca** hammock	**l'esca per il fuoco** firelighter
le piazzole disponibili pitches available	**il palo** tent pole	**il camper** camper van	**accendere un fuoco** light a fire (v)
completo full	**il lettino da campeggio** camp bed	**il rimorchio** trailer	**il fuoco** campfire

la struttura
frame

il telo isolante
ground sheet

lo zaino
backpack

il thermos
vacuum flask

la borraccia
water bottle

la tenda
tent

il repellente per insetti
insect repellent

la torcia
torch

la zanzariera
mosquito net

gli indumenti termici
thermals

le scarpe da escursionismo
walking boots

gli indumenti impermeabili
waterproofs

il sacco a pelo
sleeping bag

il materassino
sleeping mat

il fornelletto da campeggio
camping stove

la griglia per barbecue
barbecue

il materassino ad aria | air mattress

gli intrattenimenti in casa • home entertainment

il lettore di CD portatile
personal CD player

il lettore di mini disk
mini disk recorder

il lettore di MP3
MP3 player

il disco DVD
DVD disk

il lettore di DVD
DVD player

il giradischi
record player

il lettore di CD
CD player

la radio
radio

l'amplificatore
amplifier

le cuffie
headphones

il supporto
stand

l'altoparlante
(loud) speaker

il supporto per l'altoparlante
speaker stand

l'impianto stereo
hi-fi system

la videocassetta
video tape

lo schermo
screen

l'oculare
eyecup

il videoregistratore
video recorder

la videocamera
camcorder

l'antenna parabolica
satellite dish

il televisore a
schermo largo
widescreen television

la console
console

l'avanzamento
veloce
fast forward

la pausa
pause

la registrazione
record

il volume
volume

il comando
controller

il riavvolgimento
rewind

il play
play

lo stop
stop

il telecomando
remote control

il videogioco | video game

vocabolario • vocabulary

il compact disc compact disc	il lungometraggio feature film	accendere la televisione turn the television on (v)	stereo stereo
l'audiocassetta cassette tape	la televisione via cavo cable television	guardare la televisione watch television (v)	digitale digital
il mangianastri cassette player	il canale a pagamento pay per view channel	spegnere la televisione turn the television off (v)	il programma programme
la pubblicità advertisement	cambiare canale change channel (v)	sintonizzare la radio tune the radio (v)	

la fotografia • photography

il contafotogrammi
frame counter

il flash
flash

il regolatore di
esponsizione
aperture dial

il filtro
filter

il pulsante di scatto
shutter release

il copriobiettivo
lens caps

il regolatore del
tempo di esposizione
shutter-speed dial

l'obiettivo
lens

la macchina fotografica SLR | SLR camera

il lampeggiatore
flash gun

l'esposimetro
lightmeter

lo zoom
zoom lens

il treppiede
tripod

i tipi di macchina fotografica • types of camera

**la macchina
fotografica digitale**
digital camera

**la macchina
fotografica APS**
APS camera

**la macchina
fotografica istantanea**
instant camera

**la macchina fotografica
usa e getta**
disposable camera

fotografare • photograph (v)

la pellicola
film

il rollino
film spool

mettere a fuoco
focus (v)

sviluppare
develop (v)

il negativo
negative

orizzontale
landscape

verticale
portrait

la fotografia | photograph

l'album fotografico
photo album

la cornice
photo frame

i difetti • problems

sottoesposto
underexposed

sovraesposto
overexposed

sfocato
out of focus

l'occhio rosso
red eye

vocabolario • vocabulary

il mirino viewfinder	**opaco** mat
l'astuccio camera case	**lucido** gloss
l'esposizione exposure	**l'ingrandimento** enlargement
la camera oscura darkroom	**la fotografia (sviluppata)** print

Vorrei far sviluppare questo rollino.
I'd like this film processed

i giochi • games

la scacchiera
chessboard

nero
black

bianco
white

la regina
queen

il re
king

l'alfiere
bishop

il pedone
pawn

la torre
rook

il cavallo
knight

la casella
square

gli scacchi
chess

la pedina
tile

la pedina
piece

la dama
draughts

lo scrabble
scrabble

il dado
dice

la pedina
counter

il monopoly
monopoly

il tric trac (la tavola reale) | backgammon

i giochi da tavolo | board games

la filatelia
stamp collecting

il puzzle
jigsaw puzzle

il domino
dominoes

il bersaglio
dartboard

il centro
bullseye

le freccette
darts

il jolly
joker

il fante
jack

la regina
queen

il re
king

l'asso
ace

il quadro
diamond

la picca
spade

il cuore
heart

il fiore
club

le carte
cards

mescolare | shuffle (v)

distribuire | deal (v)

vocabolario • vocabulary

la mossa move	**vincere** win (v)	**il perdente** loser	**il punto** point	**il bridge** bridge	**A chi tocca?** Whose turn is it?
giocare play (v)	**il vincitore** winner	**il gioco** game	**il punteggio** score	**il colore** suit	**Tocca a te.** It's your move.
il giocatore player	**perdere** lose (v)	**la scommessa** bet	**il poker** poker	**il mazzo di carte** pack of cards	**Tira i dadi.** Roll the dice.

arte e artigianato 1 • arts and crafts 1

l'artista
artist

il quadro
painting

il cavalletto
easel

la tela
canvas

il pennello
brush

la
tavolozza
palette

la pittura | painting

la vernice •
paints

i colori ad olio
oil paints

gli acquarelli
watercolour paint

i pastelli
pastels

i colori acrilici
acrylic paint

la tempera
poster paint

i colori • colours

rosso red	**blu** blue	**giallo** yellow	**verde** green
arancione orange	**viola** purple	**bianco** white	**nero** black
grigio grey	**rosa** pink	**marrone** brown	**indaco** indigo

altri lavori artigianali • other crafts

il blocco per schizzi
sketch pad

lo schizzo
sketch

l'inchiostro
ink

la matita
pencil

il carboncino
charcoal

il disegno | drawing

la stampa
printing

l'incisione
engraving

la pietra
stone

il martello
mallet

lo scalpello
chisel

il legno
wood

l'attrezzo per
modellare
modelling tool

il tornio da
vasaio
potter's wheel

la scultura
sculpting

la falegnameria
woodworking

la colla
glue

il cartone
cardboard

l'argilla
clay

il collage | collage

la ceramica
pottery

l'oreficeria
jewellery making

la cartapesta
papier-mâché

l'origami
origami

il modellismo
model making

arte e artigianato 2 • arts and crafts 2

il guidafilo
thread guide

il rocchetto del filo
thread reel

l'ago
needle

la ruota
balance wheel

il piedino
presser foot

la piastrina
dell'ago
needle plate

il selezionatore
dei punti
stitch selector

la macchina da cucire | sewing machine

le forbici
scissors

il modello
pattern

il puntaspilli
pincushion

lo spillo
pin

il metro
tape measure

la stoffa
material

la cesta del cucito | sewing basket

il filo
thread

l'occhiello
eye

la bobina
bobbin

il gancio
hook

il ditale
thimble

il gesso
tailor's chalk

il manichino
tailor's dummy

il punto
stitch

infilare
thread (v)

cucire
sew (v)

rammendare
darn (v)

imbastire
tack (v)

tagliare
cut (v)

la punta dell'ago
needlepoint

il ricamo
embroidery

l'uncinetto
crochet hook

l'uncinetto
crochet

il macramè
macramé

il patchwork
patchwork

la spoletta
lace bobbin

il telaio
loom

il trapunto
quilting

la fabbricazione
dei merletti
lace-making

la tessitura
weaving

il ferro da calza
knitting needle

la lana
wool

il lavoro a maglia | knitting

la matassa | skein

vocabolario • vocabulary

scucire
unpick (v)

il nailon
nylon

la tela
fabric

la seta
silk

il cotone
cotton

lo stilista
designer

il lino
linen

la moda
fashion

il poliestere
polyester

**la chiusura
lampo**
zip

l'ambiente
environment

lo spazio • space

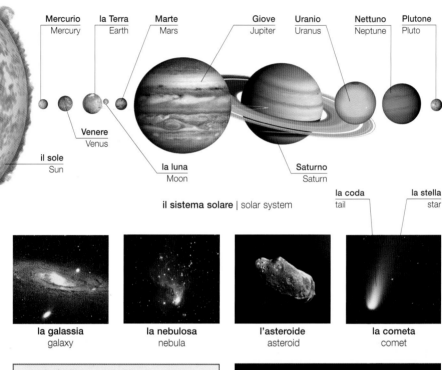

| Mercurio | la Terra | Marte | Giove | Urano | Nettuno | Plutone |
| Mercury | Earth | Mars | Jupiter | Uranus | Neptune | Pluto |

Venere
Venus

il sole
Sun

la luna
Moon

Saturno
Saturn

la coda
tail

la stella
star

il sistema solare | solar system

la galassia
galaxy

la nebulosa
nebula

l'asteroide
asteroid

la cometa
comet

vocabolario • vocabulary

l'universo universe	**il buco nero** black hole	**la luna piena** full moon
l'orbita orbit	**il pianeta** planet	**la luna nuova** new moon
la gravità gravity	**la meteora** meteor	**la mezzaluna** crescent moon

l'eclisse | eclipse

l'esplorazione dello spazio • space exploration

il radar
radar

lo shuttle
space shuttle

il reattore
thruster

la tuta spaziale
space suit

lo sportello dell'equipaggio
crew hatch

il lanciarazzi
booster

l'astronauta | astronaut

il modulo lunare | lunar module

la rampa ldi lancio
launch pad

il lancio
launch

il satellite
satellite

la stazione spaziale
space station

l'astronomia • astronomy

la costellazione
constellation

il binocolo
binoculars

il telescopio
telescope

il treppiede
tripod

la Terra • Earth

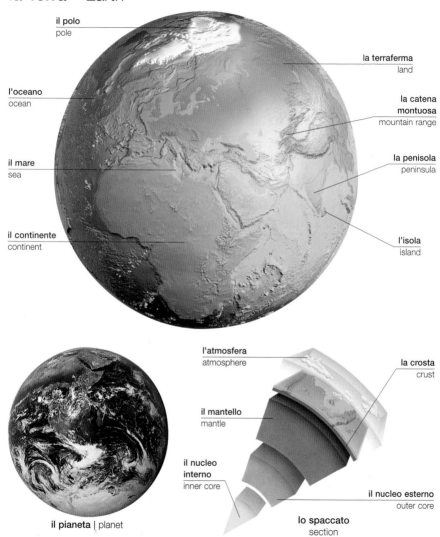

il polo
pole

la terraferma
land

l'oceano
ocean

**la catena
montuosa**
mountain range

il mare
sea

la penisola
peninsula

il continente
continent

l'isola
island

l'atmosfera
atmosphere

la crosta
crust

il mantello
mantle

**il nucleo
interno**
inner core

il nucleo esterno
outer core

il pianeta | planet

lo spaccato
section

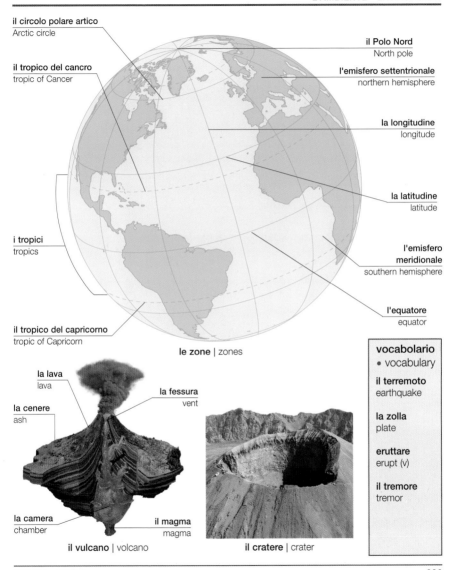

il circolo polare artico
Arctic circle

il tropico del cancro
tropic of Cancer

i tropici
tropics

il tropico del capricorno
tropic of Capricorn

il Polo Nord
North pole

l'emisfero settentrionale
northern hemisphere

la longitudine
longitude

la latitudine
latitude

l'emisfero meridionale
southern hemisphere

l'equatore
equator

le zone | zones

la lava
lava

la fessura
vent

la cenere
ash

la camera
chamber

il magma
magma

il vulcano | volcano

il cratere | crater

vocabolario
• vocabulary

il terremoto
earthquake

la zolla
plate

eruttare
erupt (v)

il tremore
tremor

il paesaggio • landscape

la montagna
mountain

la pendice
slope

la riva
bank

il fiume
river

le rapide
rapids

le rocce
rocks

il ghiacciaio
glacier

la valle | valley

la collina
hill

l'altipiano
plateau

la gola
gorge

la caverna
cave

la pianura | plain

il deserto | desert

la foresta | forest

il bosco | wood

la foresta pluviale
rainforest

la palude
swamp

il pascolo
meadow

la prateria
grassland

la cascata
waterfall

il torrente
stream

il lago
lake

il geyser
geyser

la costa
coast

la scogliera
cliff

la barriera corallina
coral reef

l'estuario
estuary

il tempo • weather

l'esosfera
exosphere

l'aurora
aurora

la termosfera
thermosphere

la luce del sole
sunshine

la mesosfera
mesosphere

la ionosfera
ionosphere

i raggi
ultravioletti
ultraviolet rays

la stratosfera
stratosphere

lo strato di ozono
ozone layer

la troposfera
troposphere

l'atmosfera | atmosphere

il vento
wind

vocabolario • vocabulary

il nevischio sleet	**il rovescio** shower	**caldo** hot	**secco** dry	**ventoso** windy	**Ho caldo/freddo.** I'm hot/cold.
la grandine hail	**soleggiato** sunny	**freddo** cold	**piovoso** wet	**la bufera** gale	**Sta piovendo.** It's raining.
il tuono thunder	**nuvoloso** cloudy	**tiepido** warm	**umido** humid	**la temperatura** temperature	**Fa … gradi.** It's … degrees.

il fulmine
lightning

la nuvola
cloud

la pioggia
rain

la tempesta
storm

la foschia
mist

la nebbia
fog

l'arcobaleno
rainbow

il ghiacciolo
icicle

la neve
snow

il gelo
frost

il ghiaccio
ice

la gelata
freeze

l'uragano
hurricane

il tornado
tornado

il monsone
monsoon

l'inondazione
flood

le rocce • rocks

igneo • igneous

il granito
granite

l'ossidiana
obsidian

il basalto
basalt

la pomice
pumice

sedimentario • sedimentary

l'arenaria
sandstone

il calcare
limestone

il gesso
chalk

la selce
flint

il conglomerato
conglomerate

il carbone
coal

metamorfico • metamorphic

l'ardesia
slate

lo scisto
schist

lo gneiss
gneiss

il marmo
marble

le gemme • gems

il rubino
ruby

l'ametista
amethyst

il giaietto
jet

l'opale
opal

la lunaria
moonstone

il granato
garnet

il diamante
diamond

il topazio
topaz

l'acquamarina
aquamarine

la giada
jade

lo smeraldo
emerald

lo zaffiro
sapphire

la tormalina
tourmaline

i minerali • minerals

il quarzo
quartz

la mica
mica

lo zolfo
sulphur

l'ematite
hematite

la calcite
calcite

la malachite
malachite

il turchese
turquoise

l'onice
onyx

l'agate
agate

la grafite
graphite

i metalli • metals

l'oro
gold

l'argento
silver

il platino
platinum

il nichel
nickel

il ferro
iron

il rame
copper

lo stagno
tin

l'alluminio
aluminium

il mercurio
mercury

lo zinco
zinc

gli animali 1 • animals 1
i mammiferi • mammals

i baffi
whiskers

la coda
tail

il coniglio
rabbit

il criceto
hamster

il topo
mouse

il ratto
rat

il riccio
hedgehog

lo scoiattolo
squirrel

il pipistrello
bat

il procione
raccoon

la volpe
fox

il lupo
wolf

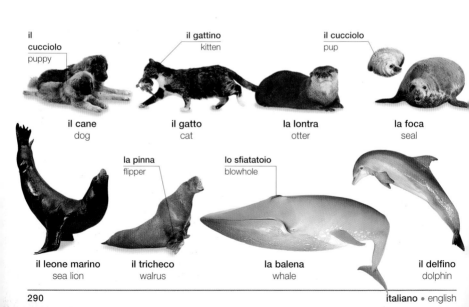

il cucciolo
puppy

il gattino
kitten

il cucciolo
pup

il cane
dog

il gatto
cat

la lontra
otter

la foca
seal

la pinna
flipper

lo sfiatatoio
blowhole

il leone marino
sea lion

il tricheco
walrus

la balena
whale

il delfino
dolphin

le corna
antler

la criniera
mane

la gobba
hump

lo zoccolo
hoof

il cervo
deer

la zebra
zebra

la giraffa
giraffe

il cammello
camel

la proboscide
trunk

la zanna
tusk

il corno
horn

l'ippopotamo
hippopotamus

l'elefante
elephant

il rinoceronte
rhinoceros

la tigre
tiger

la criniera
mane

il leone
lion

la scimmia
monkey

il gorilla
gorilla

il koala
koala

il marsupio
pouch

il panda
panda

l'artiglio
claw

il canguro
kangaroo

l'orso
bear

l'orso polare
polar bear

gli animali 2 • animals 2
gli uccelli • birds

la coda
tail

il canarino
canary

il passero
sparrow

il colibrì
hummingbird

la rondine
swallow

la cornacchia
crow

il piccione
pigeon

il picchio
woodpecker

il falco
falcon

il gufo
owl

il gabbiano
gull

l'aquila
eagle

il pellicano
pelican

il fenicottero
flamingo

la cicogna
stork

la gru
crane

il pinguino
penguin

lo struzzo
ostrich

l'oca | goose

il cigno
swan

il pavone
peacock

il fagiano
pheasant

il tacchino
turkey

la cacatoa
cockatoo

il becco
bill

la piuma
feather

l'ala
wing

l'artiglio
claw

il pappagallo
parrot

i rettili • reptiles

le scaglie
scales

l'alligatore
alligator

la lucertola
lizard

l'iguana
iguana

il guscio
shell

la testuggine
turtle

la tartaruga
tortoise

il serpente
snake

il muso
snout

il coccodrillo
crocodile

gli animali 3 • animals 3
gli anfibi • amphibians

la rana
frog

il rospo
toad

il girino
tadpole

la salamandra
salamander

i pesci • fish

l'anguilla
eel

lo squalo
shark

il cavalluccio marino
sea horse

la razza
skate

la razza
ray

il pesce rosso
goldfish

la pinna dorsale
dorsal fin

la coda
tail

la pinna pettorale
pectoral fin

la branchia
gill

la scaglia
scale

il pesce spada
swordfish

la carpa koi
koi carp

gli invertebrati • invertebrates

la formica
ant

la termite
termite

l'ape
bee

la vespa
wasp

il coleottero
beetle

lo scarafaggio
cockroach

la falena
moth

l'antenna
antenna
la farfalla
butterfly

il bozzolo
cocoon

il bruco
caterpillar

il grillo
cricket

la cavalletta
grasshopper

la mantide religiosa
praying mantis

il pungiglione
sting
lo scorpione
scorpion

il millepiedi
centipede

la libellula
dragonfly

la mosca
fly

la zanzara
mosquito

la coccinella
ladybird

il ragno
spider

la lumaca
slug

la chiocciola
snail

il verme
worm

la stella di mare
starfish

la cozza
mussel

il granchio
crab

l'aragosta
lobster

la piovra
octopus

il calamaro
squid

la medusa
jellyfish

le piante • plants

l'albero • tree

il ramo
branch

la foglia
leaf

il ramoscello
twig

la corteccia
bark

il salice
willow

la radice
root

il tronco
trunk

la quercia
oak

il pioppo
poplar

l'eucalipto
eucalyptus

il larice
larch

il faggio
beech

la betulla
birch

il pino
pine

il cedro
cedar

l'acero
maple

l'olmo
elm

il tiglio
lime

l'agrifoglio
holly

la bacca
berry

la palma
palm

la pianta da fiori • flowering plant

il fiore
flower

lo stame
stamen

il petalo
petal

il calice
calyx

lo stelo
stalk

il gambo
stem

il bocciolo
bud

il ranuncolo
buttercup

la margherita
daisy

il cardo
thistle

il dente di leone
dandelion

l'erica
heather

il papavero
poppy

la digitale
foxglove

il caprifoglio
honeysuckle

il girasole
sunflower

il trifoglio
clover

i giacinti di bosco
bluebells

la primula
primrose

i lupini
lupins

l'ortica
nettle

la città • town

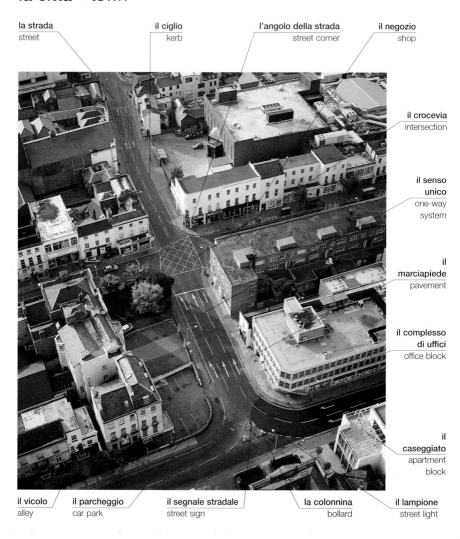

la strada
street

il ciglio
kerb

l'angolo della strada
street corner

il negozio
shop

il crocevia
intersection

il senso
unico
one-way
system

il
marciapiede
pavement

il complesso
di uffici
office block

il
caseggiato
apartment
block

il vicolo
alley

il parcheggio
car park

il segnale stradale
street sign

la colonnina
bollard

il lampione
street light

gli edifici • buildings

il municipio
town hall

la biblioteca
library

il cinema
cinema

il teatro
theatre

l'università
university

il grattacielo
skyscraper

la scuola
school

le zone • areas

la zona industriale
industrial estate

la città
city

la periferia
suburb

il villaggio
village

---

vocabolario • vocabulary

la zona pedonale pedestrian zone	**la via laterale** side street	**il tombino** manhole	**la cunetta** gutter	**la chiesa** church
il viale avenue	**la piazza** square	**la fermata dell'autobus** bus stop	**la fabbrica** factory	**il canale di scolo** drain

---

l'archittettura • architecture

edifici e strutture • buildings and structures

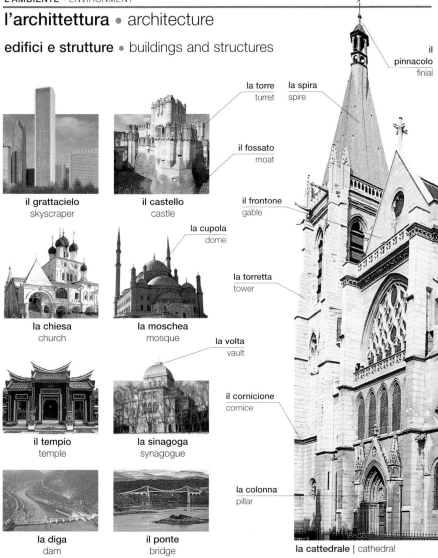

il pinnacolo
finial

la torre
turret

la spira
spire

il fossato
moat

il grattacielo
skyscraper

il castello
castle

il frontone
gable

la cupola
dome

la chiesa
church

la moschea
mosque

la torretta
tower

la volta
vault

il tempio
temple

la sinagoga
synagogue

il cornicione
cornice

la colonna
pillar

la diga
dam

il ponte
bridge

la cattedrale | cathedral

gli stili • styles

l'architrave
architrave

barocco
baroque

gotico
gothic

l'arco
arch

rinascimentale
Renaissance

il fregio
frieze

il coro
choir

rococò
rococo

il frontone
pediment

il contrafforte
buttress

neoclassico
neoclassical

l'art nouveau
art nouveau

art déco
art deco

i dati
reference

l'ora • time

la lancetta dei minuti
minute hand

la lancetta delle ore
hour hand

l'orologio
clock

vocabolario • vocabulary		
il secondo second	**adesso** now	**un quarto d'ora** a quarter of an hour
il minuto minute	**più tardi** later	**venti minuti** twenty minutes
l'ora hour	**una mezzora** half an hour	**quaranta minuti** forty minutes
Che ore sono? What time is it?		**Sono le tre.** It's three o'clock.

l'una e cinque
five past one

l'una e dieci
ten past one

l'una e un quarto
quarter past one

l'una e venti
twenty past one

la lancetta
dei secondi
second hand

l'una e venticinque
twenty five past one

l'una e trenta
one thirty

**le due meno
venticinque**

le due meno venti
twenty to two

le due meno un quarto
quarter to two

le due meno dieci
ten to two

le due meno cinque
five to two

le due
two o'clock

la notte e il giorno • night and day

la mezzanotte
midnight

il sorgere del sole
sunrise

l'alba
dawn

il mattino
morning

il tramonto
sunset

il mezzogiorno
midday

l'imbrunire
dusk

la sera
evening

il pomeriggio
afternoon

vocabolario • vocabulary

presto early	**Sei in anticipo.** You're early.	**Per favore, vieni in orario.** Please be on time.	**A che ora finisce?** What time does it finish?
in orario on time	**Sei in ritardo.** You're late.	**A più tardi.** I'll see you later.	**Quanto durerà?** How long will it last?
tardi late	**Arrivo subito.** I'll be there soon.	**A che ora inizia?** What time does it start?	**Si sta facendo tardi.** It's getting late.

il calendario • calendar

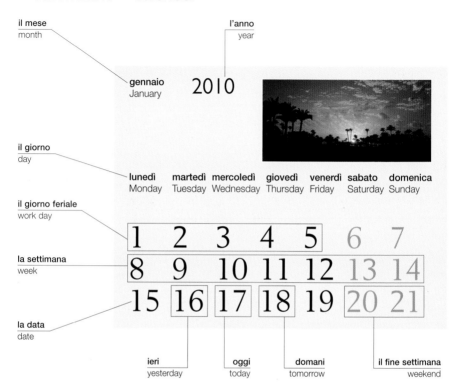

il mese
month

l'anno
year

gennaio 2010
January

il giorno
day

lunedì **martedì** **mercoledì** **giovedì** **venerdì** **sabato** **domenica**
Monday Tuesday Wednesday Thursday Friday Saturday Sunday

il giorno feriale
work day

la settimana
week

1 2 3 4 5 6 7

8 9 10 11 12 13 14

15 16 17 18 19 20 21

la data
date

ieri
yesterday

oggi
today

domani
tomorrow

il fine settimana
weekend

vocabolario • vocabulary

gennaio January	**marzo** March	**maggio** May	**luglio** July	**settembre** September	**novembre** November
febbraio February	**aprile** April	**giugno** June	**agosto** August	**ottobre** October	**dicembre** December

gli anni • years

1900	**millenovecento** • nineteen hundred
1901	**millenovecentouno** • nineteen hundred and one
1910	**millenovecentodieci** • nineteen ten
2000	**duemila** • two thousand
2001	**duemilauno** • two thousand and one

le stagioni • seasons

la primavera
spring

l'estate
summer

l'autunno
autumn

l'inverno
winter

vocabolario • vocabulary

il secolo
century

la decade
decade

il millennio
millennium

quindici giorni
fortnight

questa settimana
this week

scorsa
last week

la settimana prossima
next week

l'altroieri
the day before yesterday

il dopodomani
the day after tomorrow

settimanale
weekly

mensile
monthly

annuo
annual

Oggi che giorno è?
What's the date today?

È il sette febbraio, duemiladue.
It's February seventh, two thousand and two.

i numeri • numbers

0	**zero** • zero		20	**venti** • twenty
1	**uno** • one		21	**ventuno** • twenty-one
2	**due** • two		22	**ventidue** • twenty-two
3	**tre** • three		30	**trenta** • thirty
4	**quattro** • four		40	**quaranta** • forty
5	**cinque** • five		50	**cinquanta** • fifty
6	**sei** • six		60	**sessanta** • sixty
7	**sette** • seven		70	**settanta** • seventy
8	**otto** • eight		80	**ottanta** • eighty
9	**nove** • nine		90	**novanta** • ninety
10	**dieci** • ten		100	**cento** • one hundred
11	**undici** • eleven		110	**centodieci** • one hundred and ten
12	**dodici** • twelve		200	**duecento** • two hundred
13	**tredici** • thirteen		300	**trecento** • three hundred
14	**quattordici** • fourteen		400	**quattrocento** • four hundred
15	**quindici** • fifteen		500	**cinquecento** • five hundred
16	**sedici** • sixteen		600	**seicento** • six hundred
17	**diciassette** • seventeen		700	**settecento** • seven hundred
18	**diciotto** • eighteen		800	**ottocento** • eight hundred
19	**diciannove** • nineteen		900	**novecento** • nine hundred

1000 **mille** • one thousand

10,000 **diecimila** • ten thousand

20,000 **ventimila** • twenty thousand

50,000 **cinquantamila** • fifty thousand

55,500 **cinquantacinquemilacinquecento** • fifty-five thousand five hundred

100,000 **centomila** • one hundred thousand

1,000,000 **un milione** • one million

1,000,000,000 **un miliardo** • one billion

primo first **secondo** second **terzo** third

quarto • fourth

quinto • fifth

sesto • sixth

settimo • seventh

ottavo • eighth

nono • ninth

decimo • tenth

undicesimo • eleventh

dodicesimo • twelfth

tredicesimo • thirteenth

quattordicesimo • fourteenth

quindicesimo • fifteenth

sedicesimo
• sixteenth

diciassettesimo
• seventeenth

diciottesimo
• eighteenth

diciannovesimo
• nineteenth

ventesimo
• twentieth

ventunesimo
• twenty-first

ventiduesimo
• twenty-second

ventitreesimo
• twenty-third

trentesimo • thirtieth

quarantesimo
• fortieth

cinquantesimo
• fiftieth

sessantesimo
• sixtieth

settantesimo
• seventieth

ottantesimo
• eightieth

novantesimo
• ninetieth

centesimo
• hundredth

i pesi e le misure • weights and measures

la superficie • area

il piede quadro	il metro quadro
square foot	square metre

la distanza • distance

il chilometro	il miglio
kilometre	mile

il piatto
pan

il chilogrammo
kilogram

la libbra
pound

il grammo
gram

l'oncia
ounce

la bilancia | scales

vocabolario • vocabulary

la iarda	**la tonnellata**	**misurare**
yard	tonne	measure (v)
il metro	**il milligrammo**	**pesare**
metre	milligram	weigh (v)

la lunghezza • length

il piede
foot

il millimetro	il centimetro	il pollice
millimetre	centimetre	inch

la capacità • capacity

il mezzo litro
half-litre

la pinta
pint

il volume
volume

il millilitro
millilitre

la brocca graduata
measuring jug

la misura di liquido
liquid measure

vocabolario •
vocabulary

il gallone
gallon

il quarto di gallone
quart

il litro
litre

il contenitore • container

il sacchetto
bag

il cartone
carton

il pacchetto
packet

il bottiglia
bottle

la vaschetta | tub

il barattolo | jar

la lattina
can

la scatoletta | tin

il nebulizzatore
liquid dispenser

la saponetta
bar

il tubetto
tube

il rotolo
roll

il pacchetto
pack

la bomboletta spray
spray can

italiano • english

311

il mappamondo • world map

il Mare del Nord
North Sea

l'Oceano Artico
Arctic Ocean

le Montagne Rocciose
Rocky Mountains

il Mar dei Caraibi
Caribbean Sea

l'Amazzonia
Amazonia

l'Oceano Pacifico
Pacific Ocean

il nord
north

l'ovest
west

l'est
east

la bussola
compass

le Ande
Andes

il sud
south

l'Oceano Atlantico
Atlantic Ocean

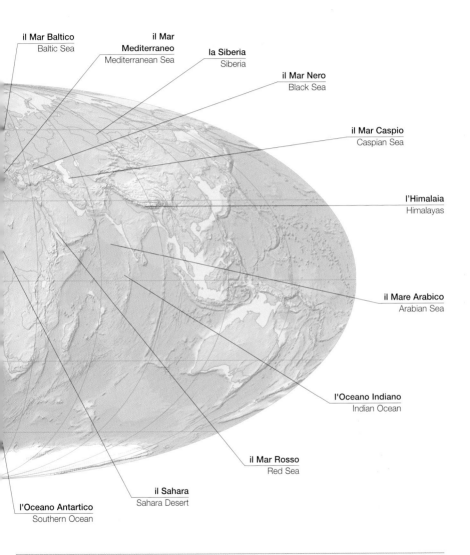

il Mar Baltico
Baltic Sea

il Mar Mediterraneo
Mediterranean Sea

la Siberia
Siberia

il Mar Nero
Black Sea

il Mar Caspio
Caspian Sea

l'Himalaia
Himalayas

il Mare Arabico
Arabian Sea

l'Oceano Indiano
Indian Ocean

il Mar Rosso
Red Sea

il Sahara
Sahara Desert

l'Oceano Antartico
Southern Ocean

italiano • english

l'America del Nord e Centrale • North and Central America

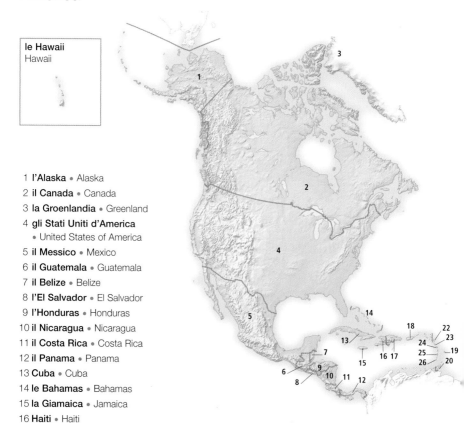

le Hawaii
Hawaii

1 l'Alaska • Alaska
2 il Canada • Canada
3 la Groenlandia • Greenland
4 gli Stati Uniti d'America
   • United States of America
5 il Messico • Mexico
6 il Guatemala • Guatemala
7 il Belize • Belize
8 l'El Salvador • El Salvador
9 l'Honduras • Honduras
10 il Nicaragua • Nicaragua
11 il Costa Rica • Costa Rica
12 il Panama • Panama
13 Cuba • Cuba
14 le Bahamas • Bahamas
15 la Giamaica • Jamaica
16 Haiti • Haiti
17 la Repubblica Dominicana
   • Dominican Republic
18 Puerto Rico • Puerto Rico
19 Barbados • Barbados
20 Trinidad e Tobago • Trinidad and Tobago
21 Saint Kitts-Nevis • St. Kitts and Nevis

22 Antigua e Barbuda • Antigua and Barbuda
23 Dominica • Dominica
24 Saint Lucia • St Lucia
25 Saint Vincent e Grenadine
   • St Vincent and The Grenadines
26 Grenada • Grenada

l'America del Sud • South America

1 il **Venezuela** • Venezuela
2 la **Colombia** • Colombia
3 l'**Ecuador** • Ecuador
4 il **Perù** • Peru
5 le **Isole Galapagos**
   • Galapagos Islands
6 la **Guyana** • Guyana
7 il **Suriname** • Suriname
8 la **Guyana Francese**
   • French Guiana
9 il **Brasile** • Brazil
10 la **Bolivia** • Bolivia
11 il **Cile** • Chile
12 l'**Argentina** • Argentina
13 il **Paraguay** • Paraguay
14 l'**Uruguay** • Uruguay
15 le **Isola Falkland** • Falkland Islands

vocabolario • vocabulary

il **continente**	la **provincia**	il **distretto**
country	province	district
il **paese**	il **territorio**	la **zona**
nation	territory	zone
la **nazione**	la **colonia**	la **regione**
state	principality	region
lo **stato**	il **principato**	la **capitale**
continent	colony	capital

l'Europa • Europe

1 **l'Irlanda** • Ireland

2 **il Regno Unito**
 • United Kingdom

3 **il Portogallo** • Portugal

4 **la Spagna** • Spain

5 **le Isole Baleari**
 • Balearic Islands

6 **Andorra** • Andorra

7 **la Francia** • France

8 **il Belgio** • Belgium

9 **i Paesi Bassi** • Netherlands

10 **il Lussemburgo**
 • Luxembourg

11 **la Germania** • Germany

12 **la Danimarca** • Denmark

13 **la Norvegia** • Norway

14 **la Svezia** • Sweden

15 **la Finlandia** • Finland

16 **l'Estonia** • Estonia

17 **la Lettonia** • Latvia

18 **la Lituania** • Lithuania

19 **Kaliningrad** • Kaliningrad

20 **la Polonia** • Poland

21 **la Repubblica Ceca**
 • Czech Republic

22 **l'Austria** • Austria

23 **il Liechtenstein**
 • Liechtenstein

24 **la Svizzera**
 • Switzerland

25 **l'Italia** • Italy

26 **Monaco**
 • Monaco

27 **la Corsica**
 • Corsica

28 **la Sardegna**
 • Sardinia

29 **San Marino** • San Marino

30 **la Città del Vaticano**
 • Vatican City

31 **la Sicilia** • Sicily

32 **Malta** • Malta

33 **la Slovenia** • Slovenia

34 **la Croazia** • Croatia

35 **l'Ungheria** • Hungary

36 **la Slovacchia** • Slovakia

37 **l'Ucraina** • Ukraine

38 **la Bielorussia** • Belarus

39 **la Moldavia** • Moldova

40 **la Romania** • Romania

41 **la Jugoslavia** • Yugoslavia

42 **la Bosnia ed Erzegovina**
 • Bosnia and Herzogovina

43 **l'Albania** • Albania

44 **la Macedonia** • Macedonia

45 **la Bulgaria** • Bulgaria

46 **la Grecia** • Greece

47 **la Turchia** • Turkey

48 **Cipro** • Cyprus

l'Africa • Africa

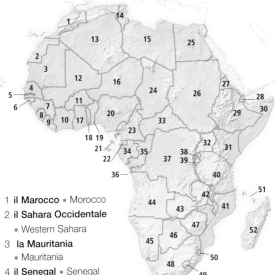

1 il **Marocco** • Morocco

2 il **Sahara Occidentale**
 • Western Sahara

3 la **Mauritania**
 • Mauritania

4 il **Senegal** • Senegal

5 il **Gambia** • Gambia

6 la **Guinea-Bissau**
 • Guinea-Bissau

7 la **Guinea** • Guinea

8 **Sierra Leone**
 • Sierra Leone

9 la **Liberia** • Liberia

10 la **Costa d'Avorio**
 • Ivory Coast

11 il **Burkina Faso**
 • Burkina Faso

12 il **Mali** • Mali

13 l'**Algeria** • Algeria

14 la **Tunisia** • Tunisia

15 la **Libia** • Libya

16 il **Niger** • Niger

17 il **Ghana** • Ghana

18 il **Togo** • Togo

19 il **Benin** • Benin

20 la **Nigeria** • Nigeria

21 **São Tomé e Príncipe**
 • São Tomé and Principe

22 la **Guinea Equatoriale**
 • Equatorial Guinea

23 il **Camerun** • Cameroon

24 il **Ciad** • Chad

25 l'**Egitto** • Egypt

26 il **Sudan** • Sudan

27 l'**Eritrea** • Eritrea

28 **Gibuti** • Djibouti

29 l'**Etiopia** • Ethiopia

30 la **Somalia** • Somalia

31 il **Kenya** • Kenya

32 l'**Uganda** • Uganda

33 la **Repubblica Centrafricana**
 • Central African Republic

34 il **Gabon** • Gabon

35 il **Congo** • Congo

36 **Cabinda** • Cabinda

37 la **Repubblica Democratica
 del Congo** • Democratic
 Republic of the Congo

38 il **Ruanda** • Rwanda

39 il **Burundi** • Burundi

40 la **Tanzania** • Tanzania

41 il **Mozambico** • Mozambique

42 il **Malawi** • Malawi

43 lo **Zambia** • Zambia

44 l'**Angola** • Angola

45 la **Namibia** • Namibia

46 il **Botswana** • Botswana

47 lo **Zimbabwe** • Zimbabwe

48 il **Sud Africa** • South Africa

49 il **Lesotho** • Lesotho

50 lo **Swaziland** • Swaziland

51 le **Comore** • Comoros

52 il **Madagascar** • Madagascar

53 la **Mauritania** • Mauritius

italiano • english

l'Asia • Asia

1 la Federazione Russa
  • Russian Federation
2 la Georgia • Georgia
3 l'Armenia • Armenia
4 l'Azerbaigian • Azerbaijan
5 l'Iran • Iran
6 l'Iraq • Iraq
7 la Siria • Syria
8 il Libano • Lebanon
9 l'Israele • Israel
10 la Giordania • Jordan
11 l'Arabia Saudita
  • Saudi Arabia
12 il Kuwait • Kuwait
13 il Qatar • Qatar
14 gli Emirati Arabi Uniti
  • United Arab Emirates
15 l'Oman • Oman
16 lo Yemen • Yemen
17 il Kazakistan • Kazakhstan
18 l'Uzbekistan • Uzbekistan
19 il Turkmenistan • Turkmenistan
20 l'Afghanistan • Afghanistan
21 il Tagikistan • Tajikistan
22 il Kirghizistan • Kyrgyzstan
23 il Pakistan • Pakistan
24 l'India • India
25 le Maldive • Maldives
26 lo Sri Lanka • Sri Lanka
27 la Cina • China
28 la Mongolia • Mongolia
29 la Corea del Nord • North Korea
30 la Corea del Sud • South Korea
31 il Giappone • Japan
32 il Nepal • Nepal
33 il Bhutan • Bhutan
34 il Bangladesh • Bangladesh

35 la Birmania
   (il Myanmar)
   • Burma (Myanmar)
36 la Tailandia • Thailand
37 il Laos • Laos
38 il Vietnam • Viet Nam
39 la Cambogia • Cambodia
40 la Malaysia • Malaysia

l'Oceania • Australasia

1 **l'Australia** • Australia
2 **la Tasmania** • Tasmania
3 **la Nuova Zelanda** • New Zealand

41 **Singapore** • Singapore
42 **l'Indonesia** • Indonesia
43 **Brunei** • Brunei
44 **le Filippine** • Philippines
45 **Taiwan** • Taiwan
46 **Timor Est** • East Timor
47 **la Papua Nuova Guinea**
 • Papua New Guinea
48 **le Isole Salomone** • Solomon Islands
49 **Vanuatu** • Vanuatu
50 **Figi** • Fiji

particelle e antonimi • particles and antonyms

a to	**da** from	**per** for	**verso** towards
sopra over	**sotto** under	**lungo** along	**attraverso** across
davanti in front of	**dietro** behind	**con** with	**senza** without
sopra onto	**dentro** into	**prima** before	**dopo** after
dentro in	**fuori** out	**entro** by	**fino** until
sopra above	**sotto** below	**di buon'ora** early	**in retardo** late
all'interno inside	**all'esterno** outside	**adesso** now	**più tardi** later
su up	**giù** down	**sempre** always	**non mai** never
a at	**oltre** beyond	**sovente** often	**raramente** rarely
attraverso through	**attorno** around	**ieri** yesterday	**domani** tomorrow
in cima on top of	**accanto** beside	**primo** first	**ultimo** last
tra between	**di fronte** opposite	**tutti** every	**alcuni** some
vicino near	**lontano** far	**circa** about	**esattamente** exactly
qui here	**là** there	**un poco** a little	**molto** a lot

grande large	**piccolo** small	**caldo** hot	**freddo** cold
largo wide	**stretto** narrow	**aperto** open	**chiuso** closed
alto tall	**basso** short	**pieno** full	**vuoto** empty
alto high	**basso** low	**nuovo** new	**vecchio** old
spesso thick	**sottile** thin	**chiaro** light	**scuro** dark
leggero light	**pesante** heavy	**facile** easy	**difficile** difficult
duro hard	**morbido** soft	**libero** free	**occupato** occupied
bagnato wet	**asciutto** dry	**forte** strong	**debole** weak
buono good	**cattivo** bad	**grasso** fat	**magro** thin
veloce fast	**lento** slow	**giovane** young	**vecchio** old
sbaglaito correct	**guisto** wrong	**migliore** better	**peggiore** worse
pulito clean	**sporco** dirty	**nero** black	**bianco** white
bellissimo beautiful	**brutto** ugly	**interessante** interesting	**noioso** boring
caro expensive	**a buon prezzo** cheap	**malato** sick	**bene** well
silenzioso quiet	**rumoroso** noisy	**l'inizio** beginning	**la fine** end

frasi utili • useful phrases

frasi essenziali
* esessential phrases

Sì
Yes

No
No

Forse
Maybe

Per favore
Please

Grazie
Thank you

Prego
You're welcome

Permesso
Excuse me

Mi dispiace
I'm sorry

No
Don't

D'accordo
OK

Vabbene
That's fine

È giusto
That's correct

È sbagliato
That's wrong

saluti
* greetings

Buongiorno
Hello

Arrivederci
Goodbye

Buongiorno
Good morning

Buon pomeriggio
Good afternoon

Buona sera
Good evening

Buona notte
Good night

Come sta?
How are you?

Mi chiamo…
My name is…

Come si chiama?
What is your name?

Come si chiama lui/lei?
What is his/her name?

Le presento…
May I introduce…

Questo è…
This is…

Piacere di conoscerla
Pleased to meet you

A più tardi
See you later

insegne • signs

Ufficio informazioni turistiche
Tourist information

Entrata
Entrance

Uscita
Exit

Uscita di emergenza
Emergency exit

Spingere
Push

Pericolo
Danger

Vietato fumare
No smoking

Guasto
Out of order

Orario di apertura
Opening times

Ingresso libero
Free admission

Ridotto
Reduced

Saldi
Sale

Bussare prima di entrare
Knock before entering

Non calpestare l'erba
Keep off the grass

aiuto • help

Mi può aiutare?
Can you help me?

Non capisco
I don't understand

Non lo so
I don't know

Parla inglese, francese…?
Do you speak English, French…?

Parlo inglese, spagnolo…
I speak English, Spanish…

Parli più lentamente
Please speak more slowly

Me lo scriva, per favore
Please write it down for me

Ho perso…
I have lost…

indicazione •
directions

Mi sono perso/a
I am lost

Dov'è il/la…?
Where is the…?

Dov'è il/la … più vicino/a?
Where is the nearest…?

Dov'è il bagno?
Where are the toilets?

Come si arriva a…?
How do I get to…?

A destra
To the right

A sinistra
To the left

Sempre dritto
Straight ahead

Quant'è lontano…?
How far is…?

i cartelli stradali • road signs

Pedaggio
Toll

Attenzione
Caution

Ingresso vietato
No entry

Rallentare
Slow down

Deviazione
Diversion

Giri a destra
Turn right

Autostrada
Motorway

Sosta vietata
No parking

Divieto di transito
No through road

Senso unico
One-way street

Escluso residenti
Residents only

Lavori in corso
Roadworks

Incrocio pericoloso
Dangerous junction

alloggio • accommodation

Ho una prenotazione
I have a reservation

A che ora è la colazione?
What time is breakfast?

Dov'è la sala da pranzo?
Where is the dining room?

Il mio numero di stanza è …
My room number is …

Tornerò alle …
I'll be back at … o'clock

Parto domani
I'm leaving tomorrow

cibo e bevande • eating and drinking

Salute!
Cheers!

È buonissimo/disgustoso
It's delicious/awful

Non bevo/fumo
I don't drink/smoke

Non mangio la carne
I don't eat meat

Per me basta, grazie
No more for me, thank you

Posso prenderne ancora?
May I have some more?

Il conto, per favore.
May we have the bill?

Mi dà una ricevuta?
Can I have a receipt?

Area riservata ai non fumatori
No-smoking area

la salute • health

Non mi sento bene
I don't feel well

Ho la nausea
I feel sick

Mi fa male …
I have a pain in …

Dove posso trovare un medico?
Where can I find a doctor?

Starà bene?
Will he/she be all right?

Mi fa male qui
It hurts here

Ho la febbre
I have a temperature

Sono incinta di … mesi
I'm … months pregnant

Avrei bisogno di una ricetta per …
I need a prescription for …

Generalmente prendo …
I normally take …

Sono allergico a …
I'm allergic to …

indice italiano • Italian index

italiano

A

a 320
a chicco corto 130
a chicco lungo 130
a due porte 200
a foglie caduche 86
a la carte 152
a quattro porte 200
a schiera 58
a tre porte 200
a zero 230
abbaino m 58
abbigliamento m 205
abbigliamento da donna m 105, 34
abbigliamento da uomo m 105, 32
abboccare 245
abbronzatura f 41
abiti da bambino m 30
abito m 32
abito da sera m 34
abito da sposa m 35
aborto spontaneo m 52
abramide f 120
acacia f 110
accademia di danza f 169
accanto 320
accappatoio m 73
acceleratore m 200, 204
accendere la televisione 269
accendere un fuoco 266
accendino m 112
accensione f 200
accesso per sedie a rotelle m 197
accessori m 36, 38
accessori per la pulizia m 77
acchiappare 227, 229
acciaio inossidabile m 79
acconciature f 39
accordo di affari m 175
account di posta elettronica m 177
accusa m 94
accusato m 180
acerbo 129
acero m 296
aceto m 135, 142
aceto balsamico m 135
aceto di malto m 135
aceto di sidro m 135
aceto di vino m 135
acetone m 41
acetosa f 123
acqua f 144, 238
acqua dal rubinetto f 144
acqua di colonia f 41
acqua in bottiglia f 144
acqua liscia f 144
acqua minerale m 144
acqua tonica f 144
acquaio m 61
acquamarina f 288
acquaragia f 83
acquarello m 274
acquascooter m 241
acquisti m 104
addebito diretto m 96
addetta alla ricezione f 100, 190
addetto alle pulizie m 188
addome m 12
addominali m 16
addormentarsi 71
adesso 304
adolescente m 23
adulto m 23
aerare 91
aereo biposto m 211
aereo da caccia m 211
aereo da diporto m 211
aereo di linea m 210, 212
aereo privato m 211
aereo supersonico m 211
aereoplano m 210
aeroporto m 212
affamato 64
affari m 175
affettare 67
affettatrice f 139
affilacoltelli m 68, 118
affilatore m 81
affittare 58
affitto m 58
affogare 67
affogato 159
affrancatura f 98
affumicato 118, 121, 143, 159
Afghanistan 318
Africa 317
agate m 289
agenda f 173, 175
agente m 94
agente di viaggio m 190
agente immobiliare f 189
agenzia di viaggi f 114
agenzia immobiliare f 115
aggressione f 94
aggrottare le ciglia 25
aglio m 125, 132
agnello m 118, 185
ago m 109, 276
agopressione f 55
agopuntura f 55
agosto 306
agricoltore m 182, 189
agrifoglio m 296
agrumi m 126
aia f 182
aikido m 236
airbag m 201
aiuola m f 85, 90
aiuto cuoco m 152
al ginocchio 34
al sugo 159
al vapore 159
ala f 119, 210, 293
Alaska 314
alba f 305
Albania 316
albergo m 100, 264
albero m 86, 240, 296
albero di trasmissione m 202
albicocca f 126
album fotografico m 271
alchechengi m 128
alesatore m 80
aletta f 210
alettone m 210
alfalfa m 184
alfiere m 272
Algeria 317
aliante m 211, 248
alimentazione di rete f 60
aliscafo m 215
all'esterno 320
all'interno 320
alla caviglia 34
alla griglia 159
allacciato dietro il collo 35
allarme antifumo m 95
allarme antifurto m 58
allarme antincendio m 95
allattamento m 53
allattamento al seno m 53
allegato m 177
allenamento m 237
allenamento a circuito m 251
allenamento con i pesi m 251
allenarsi 251
allenatore m 54
allergia f 44
allevamento di maiali m 183
allevamento di pecore m 183
alligatore m 293
allisciare 39
allo sciroppo 159
alloro m 133
alluce m 15
alluminio m 289
alpinismo in parete m 248
altalena m 263
alternatore m 203
altezza f 165
altipiano m 284
alto 98, 321
altoparlante m 176, 258, 268
altre imbarcazioni m 215
altri lavori artigianali 275
altri negozi m 114
altri sport m 248
altroieri m 307
alunno m 162
alzarsi 71
alzarsi a sedere 251
alzate con il manubrio m 251
amaca f 266
amaro 124, 127
Amazzonia f 312
ambiente m 280
ambulanza f 94
ambulatorio m 45, 168
America Centrale 314
America del Nord 314
America del Sud 315
ametista m 288
amico m 24
amico di penna m 24
amministratore delegato m 175
ammorbidente m 76
ammortizzatore m 205
amniocentesi f 52
amo m 244
ampere m 60
amplificatore m 268
ampolla f 166
anacardi m 151
anacardio m 129
analisi f 49
analisi del sangue m 48
ananas m 128
anatra f 119, 185
anatroccolo m 185
ancora f 214, 240
andare a letto 71
andare in bici 207
andare in pensione 26
Ande f 312
Andorra 316
anelli m 89, 235
anello m 36, 226
anestetista m 48
aneto m 133
anfibi m 294
Angola 317
angolo m 164, 223
angolo della strada m 298
anguilla f 294
anguria f 127
anice stellato m 133
animale m 292
animali m 292, 294
animazione f 255
annaffiare 90
annaffiatoio m 89
annaffiatura f 89
annegare 239
annesso m 58
anniversario m 26
anno m 306
annoiato 25
annotazione f 256
annuale 86
annunciatore m 191
annunciatrice f 179
annuo 307
antenna f 295
antenna della radio f 214
antenna parabolica f 269
antiaderente 69
antidolorifici m 47
antidolorifico m 109
antigelo m 199, 203
Antigua e Barbuda 314
antinfiammatorio m 109
antipasto m 153
antirughe 41
anulare m 15
ape f 295
aperitivo m 153
aperto 260, 321
apice m 165
apoplessia f 44
apparecchiare 64
apparecchiature da ufficio f 172
apparecchio a raggi x m 212
apparecchio correttore m 50
appartamento m 59, 298
appellativi m 23
appendice f 18
applaudire 255
applicazione f 176
applique f 62
appuntamento m 45, 175
appunti m 175, 191
apribottiglie m 68, 150
aprile 306
apriscatole m 68
aquila f 292
Arabia Saudita 318
arachide f 129
aragosta f 121, 295
arancino cinese m 126
arancio m 126
arancione 274
arare 183
aratro m 182

italiano

italiano

italiano

italiano

italiano

italiano

italiano

italiano

italiano

italiano

italiano

INDICE ITALIANO • ITALIAN INDEX

italiano

ufficio della dogana m 216
ufficio di assistenza al cliente m 175
ufficio di cambio m 97
ufficio iscrizioni m 168
ufficio legale m 175
ufficio marketing m 175
ufficio postale m 98
ufficio vendite m 175
Uganda m 317
uguale 165
ulna f 17
ultrasuono m 52
un quarto d'ora 304
una mezzora 304
uncinetto m 277
uncino m 244
underpar m 233
undicesimo 309
undici 308
Ungheria 316
unghia f 15
unghia del piede f 15
unguento m 109
unifamiliare 58
uniforme f 94
unità di smistamento f 61
università f 168, 299
universo m 280
uno 308
uomo m 12, 23
uomo di affari m 175
uova f 137
uova strappazzate f 157
uovo alla coque m 137, 157
uovo di anatra m 137
uovo di gallina m 137
uovo di quaglia m 137
uovo d'oca m 137
uovo fritto m 157
uragano m 287
Uranio 280
uretere m 21
uretra f 20
urinario 19
urologia f 49
Uruguay 315
uscita f 61, 210
uscita di emergenza f 210
ustione f 46
utensili m 66
utensili da cucina m 68

utero m 20, 52
uva passa f 129
uva spina f 127
uva sultanina f 129
uvetta f 129
Uzbekistan 318

V

vacanza f 212
vagina f 20
vaglia postale m 98
vagone m 208
vagone ristorante m 209
valanga f 247
valigetta f 37
valle f 284
valuta estera f 97
valvola f 207
valvola della pressione f 61
valvoliera f 60
vanga f 88
vaniglia f 132
vano della pellicola m 270
vantaggio m 230
Vanuatu 319
varechina f 77
varicella f 44
vasca f 72
vaschetta f 74, 311
vaschetta per la vernice f 83
vasino m 74
vaso m 63, 111
vaso da fiori m 89
vassoio m 152, 154, 210
vassoio della colazione m 101
vassoio in arrivo f 172
vassoio in partenza m 172
vecchio 321
veicolo di servizio m 212
vela f 240, 241
vela di maestra f 240
vela di prua f 240
velo m 35
veloce 321
velocista m 234
vena f 19
venditore ambulante m 154
venerdì 306
Venere 280
veneziana f 63

Venezuela 315
ventesimo 309
venti 308
venti minuti 304
ventidue 308
ventiduesimo 309
ventilatore m 60
ventimila 309
ventitreesimo 309
vento m 241, 286
ventola f 202
ventola per l'aria f 210
ventosa f 53
ventoso 286
ventunesimo 309
ventuno 308
verbale m 174
verde 274
verdetto m 181
verdura f 122
verdure f 107, 124
verme m 295
vernice di base f 83
vernice trasparente f 83
verniciare 83
versare 67, 96
verso 320
vertebra cervicale f 17
vertebra lombare f 17
vertebra toracica f 17
verticale 271
verza f 123
vescica f 20, 46
vescicola seminale f 21
vespa f 205, 295
vestaglia f 31, 32
vestiti puliti m 76
vestito m 31, 34
veterinaria f 189
via laterale f 299
viaggio di affari m 175
viaggio di nozze m 26
viale m 299
vibrafono m 257
vicino 320
vicino m 24
vicolo m 298
videocamera f 260, 269
videocassetta f 269
videogioco m 269
videoregistratore m 269
videotelefono m 99
Vietnam 318
vigile del fuoco m 189
vigile urbano m 195
vigili del fuoco m 95

vigilia di Ognissanti f 27
vigna f 183
vigneto m 183
villaggio m 299
villino m 58
vincere 273
vincitore m 273
vino m 145, 151
viola 274
viola f 256
violacciocca f 110
violino m 256
violoncello m 256
viottolo m 58
virus m 44
visiera f 205
visita f 45
visita guidata f 260
visita medica f 45
vista f 51
visto m 213
vita f 12
vitamine f 108
vite f 80
vitello m 118, 185
vivaio m 84, 115
vivaio ittico m 183
vodka f 145
vodka all'arancia f 151
vogatore m 250
volano m 231
volant m 71
volante m 201
volare 211
volo in deltaplano m 248
volo internazionale m 212
volo nazionale m 212
volo senza motore m 248
volpe f 290
volta f 300
volume m 165, 179, 269, 311
vomitare 44
vongola f 121
vulcano m 283
vuoto 321

W

waffle m 157
water m 61, 72
western m 255
whisky m 145
whisky con acqua m 151

wicket m 225
windsurf m 241
wok m 69
wurstel m 155

Y

yacht m 215, 240
Yemen 318
yoga m 54
yogurt m 137
yogurt alla frutta m 157
yogurt gelato m 137

Z

zafferano m 132
zaffiro m 288
zainetto m 37
zaino m 31, 267
Zambia m 317
zampa f 119
zanna f 291
zanzara f 295
zanzariera f 267
zappa f 88
zattera di salvataggio f 240
zatterone m 37
zebra f 291
zenzero m 125, 133
zerbino m 59
zero 308
zia f 22
Zimbabwe m 317
zincato 79
zinco m 289
zio m 22
zoccolo m 242, 291
zolfo m 289
zolla f 283
zona f 315
zona fumatori f 152
zona industriale f 299
zona non fumatori f 152
zona pedonale f 299
zone f 283, 299
zoo m 262
zoologia 169
zoom m 270
zoosafari m 262
zucca f 124, 125
zucca a ghianda f 125
zucca butternut f 125
zucchina f 125
zuppa f 158
zuppa inglese f 141

italiano • english

341

indice inglese • English index

english

english

english

english

english

english

english

english

english

english

ringraziamenti • acknowledgments

DORLING KINDERSLEY would like to thank Tracey Miles and Christine Lacey for design assistance, Georgina Garner for editorial and administrative help, Sonia Gavira, Polly Boyd, and Cathy Meeus for editorial help, and Claire Bowers for compiling the DK picture credits.

The publisher would like to thank the following for their kind permission to reproduce their photographs:
Abbreviations key:
t=top, b=bottom, r=right, l=left, c=centre

Abode: 62; **Action Plus:** 224bc; **alamy.com:** 154t; A.T. Willett 287bcl; Michael Foyle 184bl; Stock Connection 287bcr; **Allsport/Getty Images:** 238cl; **Alvey and Towers:** 209 acr, 215bcl, 215bcr, 241cr; **Peter Anderson:** 188cbr, 271br. **Anthony Blake Photo Library:** Charlie Stebbings 114cl; John Sims 114tcl; **Andyalte:** 98tl; **apple mac computers:** 180r; **Arcaid:** John Edward Linden 301bl; Martine Hamilton Knight, Architects: Chapman Taylor Partners, 213cr; Richard Bryant 301br; **Argos:** 41tcl, 66cbl, 66cl, 66br, 66bcl, 69cl, 70bcl, 71t, 77tl, 269tc, 270tl; **Axiom:** Eitan Simanor 105bcr; Ian Cumming 104; Vicki Couchman 148cr; **Beken Of Cowes Ltd:** 215cbc; **Bosch:** 76tcr, 76tc, 76tcl; **Camera Press:** 27c, 38tr, 256t, 257cr; Barry J. Holmes 148tr; Jane Hanger 159cr; Mary Germanou 259bc; **Corbis:** 78b; Anna Clopet 247tr; Bettmann 181tl, 181tr; Bo Zauders 156t; Bob Rowan 152bl; Bob Winsett 247cbl; Brian Bailey 247br; Carl and Ann Purcell 162l; Chris Rainer 247ctl; ChromoSohm Inc. 179tr; Craig Aurness 215bl; David H.Wells 249cbr; Dennis Marsico 274bl; Dimitri Lundt 236bc; Duomo 211tl; Gail Mooney 277cctcr; George Lepp 248c; Gunter Marx 248cr; Jack Fields 210b; Jack Hollingsworth 231bl; Jacqui Hurst 277cbr; James L. Amos 247bl, 191ctr, 220bcr; Jan Butchofsky 277cbc; Johnathan Blair 243cr; Jon Feingersh 153tr; Jose F. Poblete 191br; Jose Luis Pelaez.Inc 153tc, 175tl; Karl Weatherly 229bl, 247tcr; Kelly Mooney Photography 259tl; Kevin Fleming 249bc; Kevin R. Morris 105tr, 243tl, 243tc; Kim Sayer 249tcr; Lynn Goldsmith 258t; Macduff Everton 231bcl; Mark Gibson 249bl; Mark L. Stephenson 249tcl; Michael Pole 115tr; Michael S. Yamashita 247tccl; Mike King 247cbl; Neil Rabinowitz 214br; Owen Franken 112t; Pablo Corral 115bc; Paul A.

Sounders 169br, 249ctcl; Paul J. Sutton 224c, 224br; Peter Turnley 105tcr; Phil Schermeister 227b, 248tr; R. W Jones 309; R.W. Jones 175tr; Richard Hutchings 168b; Rick Doyle 241ctr; Robert Holmes 97br, 277ctc; Roger Ressmeyer 169tr; Russ Schleipman 229; Steve Raymer 168cr; The Purcell Team 211ctr; Tim Wright 178; Vince Streano 194t; Wally McNamee 220br, 220bcl, 224bl; Yann Arhus-Bertrand 249tl; **Demetrio Carrasco / Dorling Kindersley (c) Herge / Les Editions Casterman:** 112ccl; **Dixons:** 270cl, 270cr, 270bl, 270bcl, 270bcr, 270ccr; **Education Photos:** John Walmsley 26tl; **Empics Ltd:** Adam Day 236br; Andy Heading 243c; Steve White 249cbc; **Getty Images:** 48bcl, 100t, 114bcr, 154bl, 287tr; 94tr; **Dennis Gilbert:** 106tc; **Hulsta:** 70t; **Ideal Standard Ltd:** 72r; **The Image Bank/Getty Images:** 58; **Impact Photos:** Eliza Armstrong 115cr; John Arthur 190tl; Philip Achache 246tc; **The Interior Archive:** Henry Wilson, Alfie's Market 114bl; Luke White, Architect: David Mikhail, 59tl; Simon Upton, Architect: Phillippe Starck, St Martins Lane Hotel 100bcr, 100br; **Jason Hawkes Aerial Photography:** 216t; **Dan Johnson:** 26cbl, 35r; **Kos Pictures Source:** 215cbl, 240tc, 240tr; David Williams 216b; **Lebrecht Collection:** Kate Mount 169bc; **MP Visual.com:** Mark Swallow 202t; **NASA:** 280cr, 280ccl, 281tl; **P&O Princess Cruises:** 214bl; **P A Photos:** 181br; **The Photographers' Library:** 186bl, 186bc, 186c; **Plain and Simple Kitchens:** 66t; **Powerstock Photolibrary:** 169tl, 256t, 287tc; **Rail Images:** 208c, 208 cbl, 209br; **Red Consultancy:** Odeon cinemas 257br; **Redferns:** 259br; Nigel Crane 259c; **Rex Features:** 106br, 259tc, 259tr, 259bl, 280b; Charles Ommaney 114tcr; J.F.F Whitehead 243cl; Patrick Barth 101tl; Patrick Frilet 189cbl; Scott Wiseman 287bl; **Royalty Free Images:** Getty Images/Eyewire 154bl; **Science & Society Picture Library:** Science Museum 202b; **Skyscan:** 168t, 182c, 298; Quick UK Ltd 212; **Sony:** 268bc; **Robert Streeter:** 154br; **Neil Sutherland:** 82tr, 83tl, 90t, 118, 188ctr, 196tl, 196tr, 299cl, 299bl; **The Travel Library:** Stuart Black 264t; **Travelex:** 97cl; **Vauxhall:** Technik 198t, 199tl, 199tr, 199cl, 199cr, 199ctcl, 199ctcr, 199tcr, 199tcr, 200; **View Pictures:** Dennis Gilbert, Architects: ACDP Consulting, 106t; Dennis Gilbert,

Chris Wilkinson Architects, 209tr; Peter Cook, Architects: Nicholas Crimshaw and partners, 208t; **Betty Walton:** 185br; **Colin Walton:** 2, 4, 7, 9, 10, 28, 42, 56, 92, 95c, 99tl, 99tcl, 102, 116, 120t, 138t, 146, 150t, 160, 170, 191ctcl, 192, 218, 252, 260br, 260l, 261tr, 261c, 261cr, 271cbl, 271cbr, 271ctl, 278, 287br, 302, 401.

DK PICTURE LIBRARY:
Akhil Bahkshi; Patrick Baldwin; Geoff Brightling; British Museum; John Bulmer; Andrew Butler; Joe Cornish; Brian Cosgrove; Andy Crawford and Kit Hougton; Philip Dowell; Alistair Duncan; Gables; Bob Gathany; Norman Hollands; Kew Gardens; Peter James Kindersley; Vladimir Kozlik; Sam Lloyd; London Northern Bus Company Ltd; Tracy Morgan; David Murray and Jules Selmes; Musée Vivant du Cheval, France; Museum of Broadcast Communications; Museum of Natural History; NASA; National History Museum; Norfolk Rural Life Museum; Stephen Oliver; RNLI; Royal Ballet School; Guy Ryecart; Science Museum; Neil Setchfield; Ross Simms and the Winchcombe Folk Police Museum; Singapore Symphony Orchestra; Smart Museum of Art; Tony Souter; Erik Svensson and Jeppe Wikstrom; Sam Tree of Keygrove Marketing Ltd; Barrie Watts; Alan Williams; Jerry Young.

Additional Photography by Colin Walton.

Colin Walton would like to thank:
A&A News, Uckfield; Abbey Music, Tunbridge Wells; Arena Mens Clothing, Tunbridge Wells; Burrells of Tunbridge Wells; Gary at Di Marco's; Jeremy's Home Store, Tunbridge Wells; Noakes of Tunbridge Wells; Ottakar's, Tunbridge Wells; Selby's of Uckfield; Sevenoaks Sound and Vision; Westfield, Royal Victoria Place, Tunbridge Wells.

All other images are Dorling Kindersley copyright. For further information see www.dkimages.com

italiano • english